10才からはじめる COMPUTER CODING FOR KIDS プログラミング図鑑

たのしくまなぶ スクラッチ&Python

超入門

キャロル・ヴォーダマンほか［著］

山崎正浩［訳］

Scratch 3.0対応版

10才からはじめる プログラミング図鑑

COMPUTER CODING FOR KIDS

たのしくまなぶ スクラッチ&Python

超入門

キャロル・ヴォーダマンほか [著]

山崎正浩 [訳]

創元社

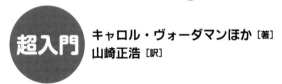

Original Title: Computer Coding for Kids
Copyright © 2014, 2019 Dorling Kindersley Limited
A Penguin Random House Company

Japanese translation rights arranged with
Dorling Kindersley Limited, London
through Fortuna Co., Ltd., Tokyo

For sale in Japanese territory only.

Printed in China

A WORLD OF IDEAS : SEE ALL THERE IS TO KNOW
www.dk.com

キャロル・ヴォーダマン　CAROL VORDERMAN

英国の人気タレントで、計算能力が高いことで有名である。科学やテクノロジーに関するさまざまなテレビ番組のパーソナリティーを務め、Channel4の「Countdown」にアシスタントとして26年間出演した。ケンブリッジ大学で工学の学位を取得している。科学と技術の知識の普及に情熱を燃やし、特にプログラミングに深い関心を寄せている。

ジョン・ウッドコック　JON WOODCOCK

オックスフォード大学で物理学の修士、ロンドン大学で数値天体物理学の博士の学位を取得。8才からプログラミングを始め、マイクロコンピューターからスーパーコンピューターまで、あらゆる種類のコンピューターのプログラミング経験を持つ。ハイテク企業での研究、大規模な宇宙空間のシミュレーション、高性能ロボットを製作など、さまざまなプロジェクトの経験がある。科学や技術に関する書籍に寄稿し、監修も行っている。

クレイグ・スティール　CRAIG STEELE

コンピューター科学教育の専門家であり、楽しくクリエイティブな環境で、デジタルスキルを伸ばそうとする人を支援している。若者を対象とした無料のプログラマー道場をスコットランドに創設した。ラズベリーパイ財団、グラスゴー・サイエンス・センター、グラスゴー美術学校、英国映画テレビ芸術アカデミー、BBC マイクロビットプロジェクトの協力を得てワークショップを開いている。初めてふれたコンピューターはZX Spectrumだった。

ショーン・マクマナス　SEAN McMANUS

9才からプログラミングを始める。現在はITに関する技術書を執筆し、ジャーナリストとしても活動している。著書に『Scratch Programming in Easy Steps』『Web Design in Easy Steps』などがある。ウェブサイト（www.sean.co.uk）で、スクラッチのゲームとチュートリアルを公開している。

クレール・クイグリー　CLAIRE QUIGLEY

グラスゴー大学でコンピューター科学を学び、理学士と博士の学位を取得。ケンブリッジ大学コンピューター研究所とグラスゴー・サイエンス・センターに勤務しながら、エディンバラで小学生向けの教育カリキュラム（音楽と科学技術）開発に携わっている。若者を対象としたスコットランドのプログラマー道場で相談員も務めている。

ダニエル・マカファティ　DANIEL McCAFFERTY

ストラスクライド大学でコンピューター科学の学位を取得。銀行から放送業界まで、さまざまな業種と規模の会社でソフトウェア・エンジニアとして勤務した経験を持つ。現在はグラスゴーで妻と2人の子どもとともに暮らし、若者にプログラミングを教えている。余暇にはサイクリングに汗を流し、家族とともに過ごす時間を楽しんでいる。

目次

4 コンピューターのしくみ

5 現実の世界でのプログラミング

本書で使われているイラストはあくまで
ゲームの作り方を説明するためのイメー
ジ画像です。実際の画面の見た目とは
異なることをあらかじめご了承ください。

まえがき

すこし前まで、コンピューターのプログラミング（プログラムを作ること）は、特別な人だけができるひみつのテクニックのように思われていました。プログラミングが楽しいと言うと、ほとんどの人は、変なことを言うものだと思いました。でも時代は変わりました。最近はインターネット、メール、ソーシャルネットワーク、スマートフォン、いろいろなアプリが、私たちの暮らしを大きく変えています。

私たちが当たり前のように暮らしているこの社会では、コンピューターがとても大きな働きをしています。電話をかける代わりに、メールを送ったりソーシャルメディアを使っています。買い物、映画、テーマパーク、そしてニュースやゲームなどいろいろなところで、コンピューターとプログラムで作られたしくみにたよっています。でもプログラムは利用するだけでなく、自分で作ることもできます。プログラムの書き方を覚えれば、自分だけのプログラムを作れるのです。

コンピューターがすることはどれも、だれかがキーボードで打ったプログラムに書かれています。プログラムに書かれていることは外国のことばのように見えるかもしれませんが、すぐに覚えられます。プログラミングは21世紀に生きる人たちが学ぶことの中で、一番大切なことだと言う人もたくさんいます。

プログラミングを学んでいると、結果がすぐにわかります。だから学ばなければならないことがふえても、とても楽しく覚えられるのです。一度でもプログラミングが好きになれば、かんたんにゲームを作ったりプログラムを書けるようになります。そしてプログラミングは、頭を使って何かを新しく作り出すこと——クリエイティブなこと——なのです。芸術を生み出すこと、論理的に考えること、物語を話すこと、そこにビジネスや仕事が組み合わさったものがプログラミングなのです。

プログラミングは、みなさんが生きていくのにとても役立つスキルです。それだけでなく、すじ道を立てて考える力と、問題をとく力をのばします。この2つの力は、科学、ものづくり、新しい薬をつくること、法律を学ぶことなど、いろいろなことに役立ちます。将来、プログラミングの力が必要な仕事はとても多くなるでしょう。上手にプログラミングできて、それを仕事にしている人は、今でも足りません。プログラミングを学んで、コンピューターの世界を自分のものにしてください。

Carol Vorderman

キャロル・ヴォーダマン

この本の見かた

この本では、プログラミングに必要な考え方をすべて説明するよ。楽しいプロジェクトも用意してあるよ。説明文は短く読みやすくしてあるし、わかりやすくなるように少しずつ進めていくから安心してね。

ぼくらがヒントを教えるよ

それぞれのテーマについて例を使ってくわしく説明するよ

このページと関係のあるページはここにのっているよ

170　Python (パイソ)

せん水かんゲ

2つの点の間の距離
他の多くのゲームと同じように
がわかると便利だ。ここではこ
ているものを紹介するよ。

11　下の関数は2つのものの間
の距離を計算するんだ。ス
テップ9で書いたソースコー
ドのすぐあとに書き足して
ね。

あわをわる
プレイヤーはあわをわってポイ

42　スクラッチから始めよう

かくれんぼ

むらさき色の「見た目」グループのブロックを使えば、スプライトを消したりふたたび登場させたりできる。大きくしたりちぢめたり、フェードイン、フェードアウトもできるんだ。

このページも見てみよう

《 38-39　スプライトを動かす

メッセージを　70-71 》
送る

スプライトをかくす
スプライトをステージから消すには、「隠す」ブロックを使うよ。スプライトはステージにいて動き回っているのに、「表示する」ブロックでふたたび見えるようにするまで、すがたを消しているよ。

「隠す」ブロックを使うと、ゲームの中でスプライトのすがたが消えるよ

カラーイラストを使ってわかりやすくしているよ

▶「隠す」「表示する」
スプライトのすがたをかくすには「隠す」ブロックを使う。スプライトをふたたび見えるようにしたいときは「表示する」ブロックだ。ブロックパレットの「見た目」グループにあるよ。

隠す

表示する

▼ネコをかくす
ネコのスプライトでこのコードを試してみよう。ネコは消えたりあらわれたりするけれど、見えていないときも動き続けているよ。

コードの説明をするよ

緑の旗 🏴 が押されたとき

ずっと

1秒待つ
このブロックはネコをかくす

隠す
このブロックでネコを時計回りに回転させるんだ

90度回す

100歩動かす
ネコは消えているときも動いているよ

1秒待つ

表示する
このブロックがネコを見えるようにする

うまくなるヒント

スプライトを表示する
スプライトリストの中のスプライトを1つ選ぶと、リストの上の情報パネルが下のようになる。「表示する」の2つのアイコンを使えば、スプライトを表示したり消したりできるよ。

スプライト	スプライト1	↔ x	0	↕ y	0
表示する 👁	大きさ 100			向き	90

かくれているスプライトが見えるようになる

すがたを変える
スプライトの大きさを変えたり、特殊な効果を加えられるよ。

ドロッ
ような見
「ピクセ
がぼやけ

大きさを 10 すつ変える
0より大きい数を入力するとスプライトが大きくなり、0より小さい数を入力すると小さくなる

大きさを 100 %にする
100より大きい数を入力すると大きくなり、100より小さい数を入力すると小さくなる。100だとふつうの大きさだ

▲スプライトの大きさを変える
この2つのブロックはスプライトの大きさを変えるのに使えるよ。数で指定したり、もとの大きさの何パーセントにするかを入力するんだ。

初めの見た目に戻してしまう

テレポートするゆうれい
スプライトのライブラリーの「ファンタジー」グループからGhost（ゆうれい）を加えよう。それから次のコードを作るんだ。ゆうれいをクリックすると、はなれた場所にテレポートするよ。

「幽霊」の効果を1つ消していくと、1回くり返すと、消えてしまう

このスプライトが押されたとき

画像効果をなくす

20回繰り返す

幽霊 ▼ の効果を 5 すつ変える

0.1 秒で x 座標を -150 から 150 までの乱数

20回繰り返す

幽霊 ▼ の効果を -5 すつ変える

見えなくなったゆうゆっくり動かすよ

どれをクリックして選んだらいいのかがわかるよ

1つ1つくわしく説明するよ

7つのプロジェクトに取りくんでプ
ログラミングのスキルをみがこう。
プロジェクトはこの青い帯が目印だ

少しずつ説明して
いくからわかりや
すいぞ

プログラムの
大事なところ
にはちゃんと
説明がついて
いるよ

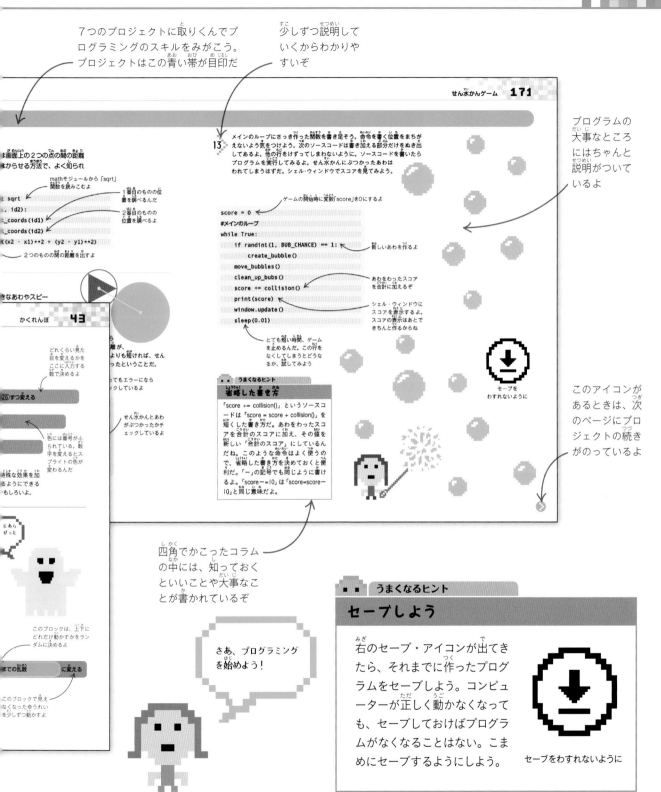

せん水かんゲーム　171

13　メインのループにさっき作った関数を書き足そう。命令を書く位置をまちが
えないよう気をつけよう。次のソースコードは書き加える部分だけをぬき出
してあるよ。他の行をけずってしまわないように。ソースコードを書いたら
プログラムを実行してみよう。せん水かんにぶつかったあわはこわ
れてしまうはずだ。シェル・ウィンドウでスコアを見てみよう。

ゲームの開始時に変数「score」を0にするよ

```
score = 0
#メインのループ
while True:
    if randint(1, BUB_CHANCE) == 1:
        create_bubble()
    move_bubbles()
    clean_up_bubs()
    score += collision()
    print(score)
    window.update()
    sleep(0.01)
```

新しいあわを作るよ

あわをわったスコア
を合計に加えるぞ

シェル・ウィンドウに
スコアを表示するよ。
スコアの表示はあとで
きちんと作るからね

とても短い時間、ゲーム
を止めるんだ。この行を
なくしてしまうとどうな
るか、試してみよう

■ ■　うまくなるヒント
省略した書き方

「score += collision()」というソースコード
は「score = score + collision()」を
短くした書き方だ。あわをわったスコア
を合計のスコアに加え、その値を
新しい「合計のスコア」にしているん
だね。このような命令はよく使うの
で、省略した書き方を決めておくと便
利だ。「−」の記号でも同じように書け
るよ。「score −=10」は「score=score−
10」と同じ意味だよ。

セーブを
わすれないように

このアイコンが
あるときは、次
のページにプロ
ジェクトの続き
がのっているよ

math モジュールから「sqrt」
関数を読みこむよ

1番目のものの位
置を調べるんだ
2番目のものの
位置を調べるよ

2つのものの間の距離を出すよ

かくれんぼ　43

どれくらい見た
目を変えるかを
ここに入力する
数で決めるよ

色には番号がふ
られている。数
字を変えるとスプ
ライトの色が
変わるんだ

このブロックは、上下に
どれだけ動かすかをラン
ダムに決めるよ

このブロックで見え
なくなったゆうれい
を少しずつ動かすよ

四角でかこったコラム
の中には、知っておく
といいことや大事なこ
とが書かれているぞ

さあ、プログラミング
を始めよう！

■ ■　うまくなるヒント
セーブしよう

右のセーブ・アイコンが出てき
たら、それまでに作ったプログ
ラムをセーブしよう。コンピュ
ーターが正しく動かなくなって
も、セーブしておけばプログラ
ムがなくなることはない。こま
めにセーブするようにしよう。

セーブをわすれないように

プログラミングって
なんだろう？

コンピューターの プログラムとは？

コンピューターのプログラムは、コンピューターに仕事を
させるための命令を並べたものなんだ。「プログラミング」
というのは、この命令を1つずつ書いて、コンピューター
に何をすればよいか教えることだ。

このページも見てみよう

コンピューターのように
考えよう　　　16-17 〉

プログラマーになろう
　　　　　　　18-19 〉

いろいろな所で動くプログラム

君のまわりではコンピューターのプログラムがいっぱい動いているよ。
ふだん使っている機械の多くは、プログラムの命令で動いているんだ。
プログラマー（プログラムを作る人）が書いたプログラムの命令を1つ
1つ読んで、そのとおりに動いているよ。

▲ソフトウェア

コンピューターでウェブサイトを見
たり、文章を書いたり、音楽を聞い
たりできるのは、プログラマーが書
いたプログラムのおかげだよ。

◀携帯電話・スマートフォン

プログラムのおかげで電話をかけた
りメールを送ることができるんだ。
電話をかけたいときには、プログラ
ムが正しい番号を調べてくれるよ。

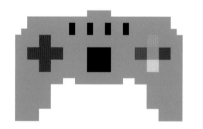

◀ゲーム

ゲーム機もコンピューターの一種だ
し、ゲーム機で遊ぶゲームはどれも
プログラムなんだ。グラフィックを
表示する、音を鳴らす、キャラクタ
ーを動かすなど、すべてがプログラ
ムに書かれているよ。

▲洗たく機

洗たく機はプログラムで決められたとおり
に、動き方を変えているよ。どれくらいの
熱さのお湯を使うか、どれくらいの時間洗
うかは、プログラムが決めているんだ。

▶自動車

スピード、温度、残って
いるガソリンの量を、コ
ンピューターのプログラ
ムが見張っている自動車
もある。ブレーキをかけ
るのを手伝って、事故が
起きないようにするプロ
グラムもあるよ。

プログラムはどのように動くの？

コンピューターはとても頭がよさそうに見えるかもしれない。でも本当は、人間の命令どおりにとても速く作業する「箱」でしかないんだ。人間がプログラムを書き、命令を並べることで、コンピューターがいろいろな作業をできるようになるよ。

1 コンピューターは考えられない

コンピューターは自分だけでは何もできない。何ができるかは、プログラムを書いてコンピューターに命令したプログラマーが決めているよ。

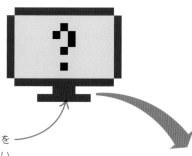

命令されないと、何をしてよいかわからない

2 プログラムを書く

くわしく命令を書くことで、コンピューターに何をすればよいか教えられる。この命令をプログラムというんだ。コンピューターがわかるように、命令1つ1つは短くしなければならない。もし命令がまちがっていると、コンピューターは思いどおりには動いてくれないよ。

打ち上げまでのカウントダウンをするプログラムだ

```
for count in range(10, 0, -1):
    print("Counting down", count)
```

3 プログラミング言語

コンピューターが命令にしたがうのは、コンピューターが読めることば（プログラミング言語というよ）で命令が書かれているときだけだ。コンピューターに何をさせたいかによって、プログラマーが一番ふさわしいプログラミング言語を選ぶよ。

```
for count in range(10, 0, -1):
    print("Counting down", count)
```

プログラムは最後には「バイナリー・コード」ということばに置きかえられる。バイナリー・コードはコンピューターにとって一番読みやすいことばで、使う文字は0と1だけだ

ことば

ハードウェアとソフトウェア

「ハードウェア」はコンピューターのうち、目に見えて手でさわることができる部分だ。ケーブル、電気の回路、キーボード、ディスプレイなどがそうだよ。「ソフトウェア」はコンピューターで動かすプログラムのことだ。ソフトウェアとハードウェアがいっしょに動くことで、コンピューターは便利な機械になっているんだ。

コンピューターのように考えよう

プログラマー（プログラムを作る人）は、コンピューターのように考えることを覚えなければならない。コンピューターがまちがえないよう、やらせたいことを細かく分解して、命令を短くわかりやすくしなければならないんだ。

このページも見てみよう

《 14-15 コンピューターのプログラムとは？

プログラマーになろう 18-19 》

ロボットのように考えてみる

ロボットがウェイターをしているレストランを想像してみよう。ロボットの頭はかんたんなコンピューターでできている。君はこのロボットウェイターに、キッチンからお客さんがすわっているテーブルまで料理を運ばせなければならない。そのために必要なことを、コンピューターがわかるようなかんたんな命令にしてみよう。

ことば

アルゴリズム

アルゴリズムとは、作業を行うためのかんたんな命令の集まりだ。プログラムは、このアルゴリズムをコンピューターがわかることばに書きかえたものなんだ。

1 ロボットウェイターのプログラム　その1

このプログラムを使うと、ロボットは料理をお皿からつかみ上げ、そのままキッチンのカベにまっすぐ向かい、カベをこわして客席に向かってしまうよ。それから料理を床の上に置く。この命令ではおおざっぱすぎるんだね。

> **1：料理を持ち上げる。**

> **2：キッチンから客席に行く。**

> **3：料理を置く。**

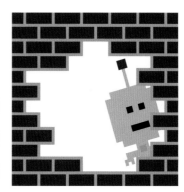

◀ **トラブル発生！**

ロボットにドアを使うことを教えるのを忘れてしまったよ。人間には当たり前のことでも、コンピューターは自分でドアをあけることを思いつけないんだ。

2 ロボットウェイターのプログラム　その2

今度はロボットにキッチンのドアの使い方を教えたよ。でも、ロボットはドアを通って行くようになったけれど、レストランでかっているネコにぶつかってつまずき、お皿を床に落としてわってしまったよ。

> **1：料理をお皿といっしょに持ち上げる。**

> **2：次のようにしてキッチンから客席に行く。**
>
> 　**キッチンと客席の間のドアに向かう。**
>
> 　**ドアを通ってから客席に向かう。**

> **3：お皿をお客さんの前のテーブルの上に置く。**

▲ **おしい！**

ロボットは、ネコをよけて歩くことを知らないんだ。プログラムをもっと細かく書いて、目の前に何かがあったら、よけて歩くように命令しなければならないね。

3　ロボットウェイターのプログラム　その3

ロボットはネコや歩くのにじゃまなものをよけて料理を運べるようになったけど、料理がのったお皿を置いたあと、テーブルのそばに立ったままでいるよ。キッチンには作った料理がたまってしまったよ。

1：料理をお皿ごと持ち上げて、かたむけないようにする。

2：次のようにしてキッチンから客席に行く。

　キッチンと客席の間のドアに向かう。

　　歩くのにじゃまなものがあったら、よけて歩く。

　ドアを通ってから客席に向かう。

　　歩くのにじゃまなものがあったら、よけて歩く。

3：お皿をお客さんの前のテーブルの上に置く。

▲ついに成功かな？

ようやくロボットは料理を無事に運べるようになったよ。だけど、キッチンに戻って次の料理を運ぶように命令するのをわすれてしまった。

本当の世界での例

ロボットウェイターは想像の世界の話かもしれないけれど、次のアルゴリズムは本当の世界でよく使われている。例えばコンピューターが動かしているエレベーターには、どのように動くのか命令しなければならない。上の階に行くのか下の階に行くのか？　次はどの階に行けばよいのだろうか？

1：ドアが閉まるまで待つ。

2：行き先のボタンが押されるまで待つ。

　行き先が今いる階より上なら

　　エレベーターは上に向かう。

　行き先が今いる階より下なら

　　エレベーターは下に向かう。

3：ボタンで示された行き先の階に着くまで待つ。

4：ドアを開ける。

◀エレベーターを動かすプログラム

正しく安全にエレベーターを動かすには、命令はくわしくわかりやすくして、起こるかもしれないことをすべて考え、どのような場合にはどうすればよいか、はっきりさせておかなければならない。プログラマーは、エレベーターにふさわしいアルゴリズムを作ったか、たしかめなければならないよ。

プログラマーになろう

コンピューターが動くのは、見えないところでプログラムが動いているおかげだ。プログラマーはそのプログラムを作る（プログラムを書く）人たちのことだよ。君もプログラミング言語を覚えてプログラムを作ってみよう。

このページも見てみよう

スクラッチは　　　22-23 ▶
どんな言語だろう？

パイソンは　　　86-87 ▶
どんな言語だろう？

プログラミング言語

いろいろなプログラミング言語があるよ。よく使われている言語と、何に使われているかをまとめてみた。

C言語	コンピューターのオペレーティングシステム（OS）を作るのに使われる便利な言語。
Ada	宇宙船や人工衛星、飛行機をコントロールするのに使われている。
Java	コンピューターや携帯電話、スマートフォンやタブレットに使われているよ。

MATLAB	たくさんの計算をするときにぴったりの言語だ。
Ruby	いろいろな情報をウェブサイトに自動的に書き込むのに使われる。
JavaScript	インタラクティブなウェブサイトを作るのに使われるよ。

Scratch	イラストや図を使ってプログラミングするビジュアルな言語で、初めてプログラミング言語を学ぶのにぴったりだ。この本で最初に習うよ。

Python	文字（テキスト）で書く言語で、いろいろなプログラムを作れる。この本で2番目に習うよ。

スクラッチはどんな言語？

スクラッチはプログラミングを始めるのにぴったりの言語だよ。命令はブロックになっている。プログラムはテキストで書くのではなく、このブロックを組み合わせて作るんだ。すぐに使えるようになるし、他のプログラミング言語を使うときに大切なことも学べるよ。

プログラムを動かした結果はこの部分に表示されるよ

色のついたブロックをつなげてプログラムを作るんだ

＊この画面は英語版のイメージです

パイソンはどんな言語？

世界中の人たちがパイソンを使ってゲームや便利なプログラム、ウェブサイトを作っている。あらゆる種類のプログラムを作れるので、習うととても役立つよ。パイソンは、英語でよく使われることばでプログラミングできる。だから少しことばを覚えれば、人間でもすぐに読めるんだ。

```
ghostgame
IDLE   File   Edit   Format   Run   Window   Help

# Ghost Game
from random import randint
print("Ghost Game")
feeling_brave = True
score = 0
while feeling_brave:
    ghost_door = randint(1, 3)
    print("Three doors ahead...")
```

パイソンで書かれた
プログラムの例

さあ始めよう

さあ、プログラミングを始めよう。必要なのはインターネットにつながるコンピューターだけ。まずスクラッチを習うよ。上手なプログラマーになるための最初の一歩には、スクラッチがとても向いている。わくわくするようなプログラミングの世界にとびこむよ。用意はいいかな？

■ ■ ■　うまくなるヒント

実験を楽しもう

プログラマーを目指すなら、自分で作ったプログラムを自分でテストしなければならない。プログラムのあちこちを変えて、どのようになるか実験してみよう。プログラムをいじっているうちに、新しい方法を発見することができる。プログラミングは学べば学ぶほど、どんどん楽しくなっていくよ。

スクラッチから
始めよう
はじ

スクラッチはどんな言語だろう？

スクラッチはイラストや図を使ってかんたんにプログラミングできるプログラミング言語だ。楽しくておもしろいプログラムを何でも作れるよ。

このページも見てみよう

スクラッチのインストールと起動　**24–25 ▶**

スクラッチのインターフェース　**26–27 ▶**

ブロックとコード　**30–31 ▶**

スクラッチの特徴

スクラッチはゲームやアニメーションを作るのがとても得意だ。かっこいいイラストや音をいっぱい集めたコレクション（ライブラリーというよ）がついているのでぜひ活用しよう。

ブロックはジグソーパズルのようにつながるよ

1　プログラミングを始める

スクラッチはプログラミング言語の1つだよ。タイピングはあまりいらないし、プログラミングを始めるのもかんたんだ。

スクラッチで初めてのプログラムを書こう！

2　ブロックをつなぐ

スクラッチの命令は、色わけされたブロックになっているよ。ブロックを選んでつなぐとコードになる。コードはいくつかの命令をまとめたものだ。

3　スプライトを動かす

人、乗り物、動物などを使ってプログラムを作ろう。これらは「スプライト」というんだ。

スプライトは話すこともできるよ。

歩いたり、走ったり、おどったりもするよ

ことば

なぜスクラッチというの？

いろいろな音をまぜて新しい音楽を作ることを「スクラッチング」というんだ。プログラミング言語のスクラッチも、イラスト、音、コードブロックをまぜて新しいプログラムを作れるので、この名前がついたんだよ。

スクラッチのプログラムの例

スクラッチで作ったプログラムの例だ。プログラムを動かした結果は、画面の中の「ステージ」という部分に表示されるよ。ステージには背景の絵とスプライトを置ける。そしてコードを書けば、ステージの中でいろいろなことが起きるんだ。コードはスクリプトとも呼ぶよ。

▼プログラムを動かす

プログラムに作業を始めさせることを、プログラムを「動かす」「実行する」「起動する」などというよ。プログラムを動かすには、ステージの右上にある「緑の旗」を押そう。

緑の旗はプログラムを動かす

赤いボタン（赤信号）はプログラムを止める

背景の絵

プログラムを動かせば、魚のスプライトが動くよ

一度にいくつものスプライトをステージに置けるよ

▶スプライトを動かす

スクラッチは右のようなブロックを使ってコード（命令のまとまり）を作る。コードにしたがって、ステージの中で魚（スプライト）がとびはねるよ。

緑の旗 🚩 が押されたとき

ずっと

次のコスチュームにする

(0.25) 秒待つ

(10) 歩動かす

もし端に着いたら、跳ね返る

「ずっと」のブロックで命令がくり返されるよ

おぼえておこう

スクラッチのプログラム

スクラッチではセーブした作品を「プロジェクト」と呼ぶよ。プロジェクトにはプログラムを作るのに使ったスプライト、背景、音、コードが全部入っている。あとでプロジェクトを呼び出す（ロードする）と、セーブしたときと同じように並べてくれる。スクラッチのプロジェクトは1つのプログラムなんだ。

スクラッチの
インストールと起動

スクラッチはイラストや図を使ってかんたんにプログラミングできるプログラミング言語だ。楽しくておもしろいプログラムを何でも作れるよ。

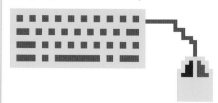
スクラッチのアカウントを作る

スクラッチのアカウントを持っていれば、君が作ったプログラムを他の人にも見せられるよ。オンラインでプログラムを保管することもできる。スクラッチのウェブサイトにアクセスして自分のアカウントを作ろう。

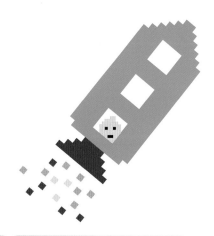

▶ **スクラッチを始める**

オンラインで（パソコンをインターネットにつないで）使うか、オフラインで（ソフトウェアをダウンロードして）使うか、2つの始め方があるよ。

| **1** セットアップ | | **2** スクラッチを起動する |

オンライン

https://scratch.mit.edu/ にアクセスして、画面右上の「Scratch に参加しよう」をクリックする。ユーザー名とパスワードを決めて入力しよう。

画面右上の「サインイン」をクリックして、ユーザー名とパスワードを入力しよう。画面左上の「作る」をクリックして新しいプログラムを作り始めよう。

オフライン

https://scratch.mit.edu/download からソフトウェアをダウンロードする。パソコンにインストールすれば、デスクトップにスクラッチのアイコンができるよ。

デスクトップのアイコンをダブルクリックすれば、スクラッチが起動してプログラミングを始められるよ。

うまくなるヒント

マウスの使い方

もしマウスにボタンが２つあるときは「クリックする」と書かれていたら左のボタンを押そう。「右クリックする」と書かれていたら右のボタンだ。もしマウスにボタンが１つしかないときは、キーボードのCtrlキーを押しながらクリックすれば、右クリックと同じになる場合もある。コンピューターやマウスの説明書で調べてみよう。

スクラッチのバージョンのちがい

この本はスクラッチ3.0という新しいバージョンに合わせて書かれているので、できれば3.0を使おう。古いバージョンでは少しちがう部分があるよ。

▲スクラッチ2.0
古いバージョンではステージが画面の左側にある。

▲スクラッチ3.0
新しいバージョンには新しい命令が追加され、ステージは画面の右側にある。

3　作品をセーブする

4　オペレーティングシステム（OS）

サインインしていれば、自分が作った作品は自動的にセーブされる。自分の作品を見つけるには、画面右上のユーザー名をクリックし、「私の作品」を選ぼう。

オンラインで動かすスクラッチは、Windows、Ubuntu、マッキントッシュに対応しているよ。バージョン3.0はタブレットでも動くよ。

先へ進もう！

画面左上の「ファイル」を開いて「コンピューターに保存する」を選ぼう。

オフライン版のスクラッチはWindowsとマッキントッシュで動かせる。Ubuntuではうまく動かないよ。もしOSがUbuntuのコンピューターなら、オンライン版のスクラッチを試してみよう。

スクラッチのインターフェース

オンライン版のスクラッチの画面について説明するよ。こうした画面のことを「インターフェース」というよ。ステージは画面の右側にあり、プログラムは画面のまんなかで作るんだ。

使うことば(日本語、英語など)を変える

メニュー　コスチュームタブ

SCRATCH 🌐 ファイル　編集　💡 チュートリアル

コードタブ

🟰 コード　🖌 コスチューム　🔊 音

音タブ

ブロックパレット　コードエリア　ステージエリア

スプライトリスト

バックパック　　ステージ情報

使いたいブロックの種類を選ぼう

▲エリアマップ

ステージはプログラムが動く場所だよ。スプライトはスプライトリストに、コード用のブロックはブロックパレットに並べられている。コード（命令）を組み立てるのはコードエリアだ。

動き

(10)歩動かす

↻(15)度回す

↺(15)度回す

(どこかの場所▼)へ行く

x座標を(0)、y座標を(0)にする

(1)秒で(どこかの場所▼)へ行く

(1)秒でx座標を(0)に、y座標を(0)に変える

(90)度に向ける

(マウスのポインター▼)へ向ける

動き
見た目
音
イベント
制御
調べる
演算
変数
ブロック定義

コードを作るには、ブロックをここからドラッグしてコードエリアに置くよ

👾 **うまくなるヒント**

メニューとツール

メニューについて
画面の左上に表示されるメニューの説明だよ。

ファイル	作品をセーブしたり、新しいプロジェクトを始めるよ。
編集	まちがったときのやり直しやコードを速く動かすときに使うよ。
チュートリアル	わからなくなったらここを見てみよう。

バックパックにコードブロック、スプライト、音、コスチュームを入れておける

▼試してみよう

いろいろなボタンやタブをクリックして、スクラッチのインターフェースを試してみよう。きちんとした使い方は、プロジェクトを作るときに説明するよ。

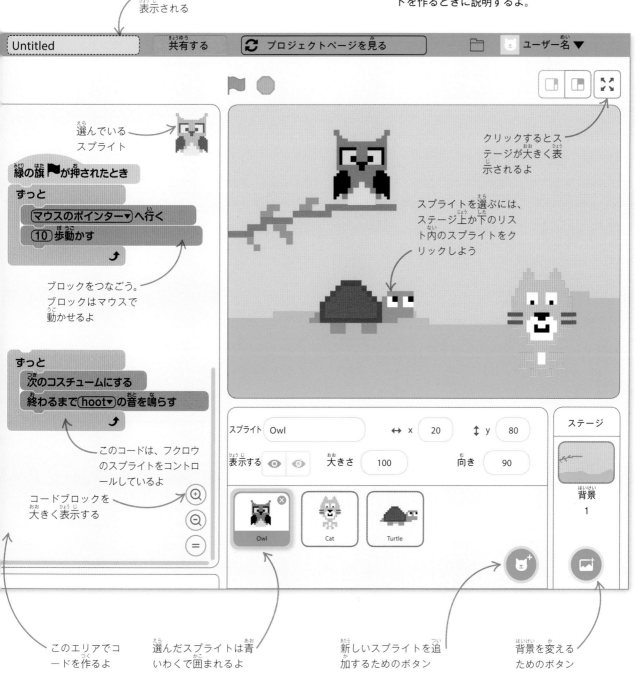

プログラムの名前が表示される

Untitled

共有する

プロジェクトページを見る

ユーザー名 ▼

選んでいるスプライト

クリックするとステージが大きく表示されるよ

緑の旗 が押されたとき

ずっと

マウスのポインター▼ へ行く

10 歩動かす

スプライトを選ぶには、ステージ上か下のリスト内のスプライトをクリックしよう

ブロックをつなごう。ブロックはマウスで動かせるよ

ずっと

次のコスチュームにする

終わるまで hoot▼ の音を鳴らす

このコードは、フクロウのスプライトをコントロールしているよ

コードブロックを大きく表示する

スプライト Owl   ↔ x 20   ↕ y 80

ステージ

表示する 👁 👁̸   大きさ 100   向き 90

背景
1

Owl   Cat   Turtle

このエリアでコードを作るよ

選んだスプライトは青いわくで囲まれるよ

新しいスプライトを追加するためのボタン

背景を変えるためのボタン

スプライト

スクラッチで一番基本になるのはスプライトだね。スクラッチのプログラムはスプライトと、そのスプライトを動かすコードでできているんだ。32から37ページの「ドラゴンからにげろ！」というプロジェクトでは、ネコ、ドラゴン、ドーナツのスプライトを使うよ。

このページも見てみよう

❮ 26–27　スクラッチの
　　　　　インターフェース

コスチューム　　40–41 ❯

かくれんぼ　　　42–43 ❯

スプライトは何ができるの？

スプライトは、ステージに置かれたイラスト（絵）だよ。コードによって、スプライトに何をさせるかを決めるんだ。他のスプライトやゲームのプレイヤーが何かしたら、それに反応するようにもできる。スプライトはこんなことができるよ。

ぼくはいろんな音を出せるよ！

- ステージの中を動き回る
- 見た目を変える
- 音を出したり音楽をかなでる
- 何かにさわると反応する
- プレイヤーの命令にしたがう
- 吹き出しを使って話す

スプライトのリスト

プロジェクト（作品）で使えるスプライトは1つだけではないよ。そして、スプライトごとに別々のコード（命令）が書ける。コードを追加するときは、どのスプライト用のものなのかまちがえないように気をつけよう。

いま作っているコードが、どのスプライトのものなのかはここを見ればわかるよ。

並んでいるアイコンをクリックすれば、ちがう種類のブロックを選べるよ

ここで別のスプライトを選べるよ

▶ スプライトとコード

1つのプロジェクトにたくさんのスプライトを登場させ、それぞれのスプライト用に長いコードを組み立てることもできる。

*この画面は英語版のイメージです

スプライトを作ろう

ステージの中のスプライトの数が多いほど、プログラムはおもしろくなるね。
スプライトを作ったり、コピーしたり、消したりするのはかんたんだよ。

▼スプライトを作る

スプライトリストの右下にある「スプライトを選ぶ」ボタンにマウスのポインターを置けば、メニューが表示されるよ。

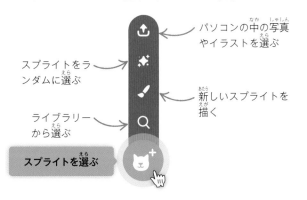

パソコンの中の写真やイラストを選ぶ

スプライトをランダムに選ぶ

新しいスプライトを描く

ライブラリーから選ぶ

スプライトを選ぶ

▶スプライトのコピーと削除

スプライトリストでスプライトを選び、右クリックしてみよう。
メニューから「複製」を選べば、スプライトとコードをいっしょにコピーできるよ。

スプライトをコピーする

スプライトを消す

スプライトに名前をつけよう

初めに出てくるネコは「スプライト1」という名前になっているね。もっと覚えやすくて親しみのある名前をつけたほうが、プログラムを書きやすくなるよ。そのほうがコードに書かれていることや、どのスプライト用のコードかがわかりやすくなるんだ。

1 スプライトを選ぶ

スプライトリストの中からスプライトを選んでクリックしよう。

クリックしてスプライトを選ぼう

2 名前を変える

下のようなパネルの中のテキストボックスをクリックする。キーボードから文字を打てるようになるから、スプライトの名前を変えてみよう。

新しい名前をここに入力する

新しい名前がここに表示されるよ

ブロックとコード

ブロックは種類ごとにグループになっていて、色わけされているよ。ブロックをつなげるとコードになる。上に置かれたブロックから順番に実行されるんだ。

このページも見てみよう

❮ 26–27　スクラッチの
　　　　インターフェース

ドラゴンから　　32–37 ❯
にげろ！

色わけされたブロック

スクラッチのブロックには9つのグループがあるよ。ブロックパレットのボタンをクリックすれば、表示するグループを変更できる。クリックしたボタンのグループのブロックが、全部出てくるよ。

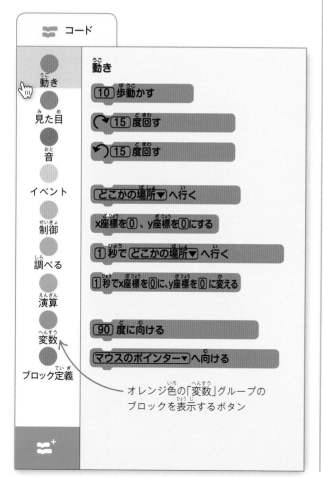

オレンジ色の「変数」グループのブロックを表示するボタン

ブロックの役割

プログラムの中でどのような役割をするかは、ブロックごとにちがうんだ。スプライトを動かすブロック、音を鳴らすブロック、何かが起こるタイミングをはかるブロックなどもあるよ。

緑の旗がいつクリックされたかを調べる

スペースキーが押されたかどうかを調べる

▲「イベント」「調べる」

黄色の「イベント」のブロックは何かを起こすはたらきをするよ。水色の「調べる」のブロックは、キーボード、マウス、スプライトがさわっているものの様子を調べるんだ。

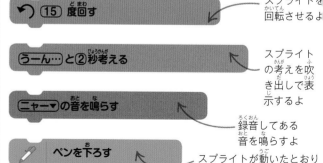

スプライトを回転させるよ

スプライトの考えを吹き出しで表示するよ

録音してある音を鳴らすよ

スプライトが動いたとおりに線を引くよ

▲「動き」「見た目」「音」「ペン」

この4つのグループのブロックは、スプライトが何をするのかを決めるんだ。「ペン」は左下にある水色のアイコン「拡張機能を追加」から使えるようにできるぞ。

 **age▼ を 10 にする** ← 変数に数を入れるよ

1 から 10 までの乱数 ← ランダムに決めた数
（乱数）を選ぶよ

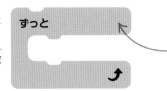 **ずっと**

このブロックは、は
さんだ他のブロック
を、ずっとくり返し
実行させるよ

▲「変数」「演算」

オレンジの「変数」ブロックと緑の「演算」ブ
ロックは、数と文字を覚えておいて使うんだ。

▲「制御」

「制御」ブロックは、他のブロックをいつ実行する
のか、そのタイミングを決めるよ。他のブロックを
何回かくり返して実行させることもできるよ。

コードの流れ

プログラムを動かすと、スクラッチはブロックで決めら
れた命令を実行する。コードの一番上から始めて、下に
向けて順番に実行するよ。

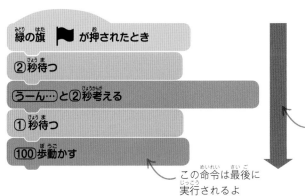

緑の旗 ▶ が押されたとき

2 秒待つ

うーん…と 2 秒考える

1 秒待つ

100 歩動かす ← この命令は最後に
実行されるよ

▶ 考え深いネコ

左のコードを実行すると、ネコのスプライトは
2 秒待ってから考えこみ、それから 1 秒おいて
動き出すよ。

プログラムは上か
ら下へと実行され
ていくんだ

コードを動かす

コードを動かすと、そのコードは光って見えるよ。コードを動か
すにはステージの上の緑の旗を押すか、コードエリアでコードか
ブロックをクリックするんだ。

緑の旗 ▶ が押されたとき

2 秒待つ

うーん…と 2 秒考える

1 秒待つ

100 歩動かす

動いているコードは
まわりが黄色く光っ
て見えるよ

◀ コードを試しに動かす

コードが思ったとおりに動くか、
クリックして確かめてみよう

 おぼえておこう

コードを止める

プログラムの中で動いているコードを
すべて止めるには、ステージの上の赤
いボタン（赤信号）をクリックしよう。プ
ログラムを動かす緑の旗のとなりにあ
るよ。

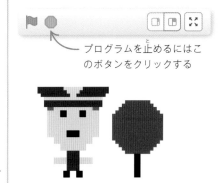

プログラムを止めるにはこ
のボタンをクリックする

● プロジェクト1

ドラゴンからにげろ！

このプロジェクトでは、スクラッチでプログラムを作る入門テクニックをいくつか説明するよ。火を吹くドラゴンからネコを救い出すゲームを作ろう。

このページも見てみよう

❮ 24–25　スクラッチの
　　　　　インストールと起動

❮ 26–27　スクラッチの
　　　　　インターフェース

ネコを動かそう

まず、ネコのスプライトがマウスのポインターを追いかけるようにしよう。説明をよく読まないと、プログラムがうまく動かないので気をつけよう。

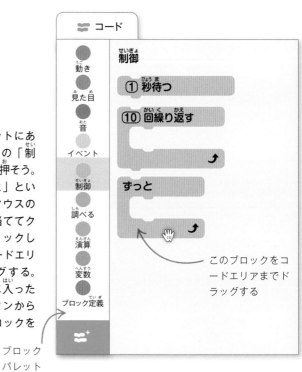

このブロックをコードエリアまでドラッグする

1▶ スクラッチを起動して、メニューの「ファイル」から「新規」を選び、新しいプロジェクトを始めよう。ネコのスプライトがあらわれるよ。

新しいプロジェクトを始めるたびに、ぼくが出てくるよ。

2▶ ブロックパレットにあるオレンジ色の「制御」のボタンを押そう。そして「ずっと」というブロックにマウスのポインターを当ててクリックし、クリックしたまま右のコードエリアまでドラッグする。コードエリアに入ったら、マウスボタンから指を離してブロックを置こう。

ブロックパレット

3▶ ブロックパレットの青い「動き」のボタンを押すと、青いブロックがいくつも出てくる。「マウスのポインターへ向ける」というブロックをクリックし、「ずっと」ブロックまでドラッグすれば、「ずっと」ブロックの内側に置けるね。

このブロックを「ずっと」ブロックの中に置こう

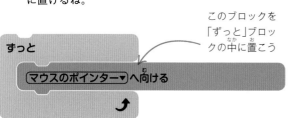

4▶ ブロックパレットの「イベント」ボタンを押す。「緑の旗が押されたとき」というブロックをコードエリアにドラッグし、今までに作ったコードの上につなげよう。

このブロックをコードの一番上に置く

メニューでは「マウスのポインター」が選ばれている

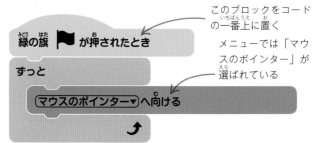

5 緑の旗を押して、プログラムを動かしてみよう。
ステージの中でマウスのポインターを動かすと、
ネコがポインターの方を向くよ。

プログラムを止める

プログラムを動かす

全画面にする

マウスを動かして、
ネコがポインター
の方を向くかチェ
ックしよう

6 もう一度「動き」ボタンを押して、「10歩動かす」の
ブロックをコードエリアにドラッグし、「ずっと」ブ
ロックの中に置こう。緑の旗を押して、ネコにマウス
のポインターを追いかけさせよう！

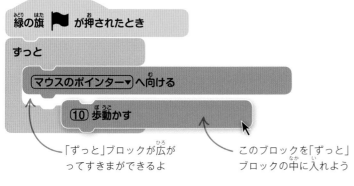

「ずっと」ブロックが広が
ってすきまができるよ

このブロックを「ずっと」
ブロックの中に入れよう

7 スプライトのうしろの絵や写真は背景というよ。スプライト
リストの右側には、新しい背景をふやすためのボタンがつい
ている。このボタンをクリックして、「背景ライブラリー」か
ら「宇宙」のテーマを選ぶ。出てきた背景の中の「Stars」
をクリックしよう。

ライブラリーか
ら背景を選ぶ

背景を選ぶ

◀ **宇宙空間のネコ**

スクラッチの画面は左のよ
うになる。プログラムを動
かすと、ネコが宇宙でマウ
スのポインターを追いかけ
るよ。

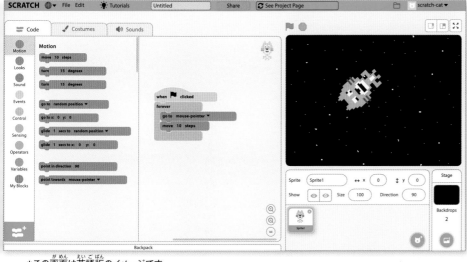

＊この画面は英語版のイメージです

インターネットにつないでいれば、ス
クラッチはプログラムを自動的に保管
してくれる。インターネットにつないで
いないときは、メニューを開いて自分
のコンピューターにセーブしておこう。

ドラゴンからにげろ！

火を吹くドラゴンを登場させよう

ネコがマウスを追いかけられるようになったら、今度はドラゴンにネコを追いかけさせよう。ドラゴンがネコをつかまえないよう気をつけよう。そうしないとネコが丸焼けになってしまうよ。

8　スプライトリストの右下にライブラリーから新しいスプライトを加えるためのボタンがあるよ。ボタンをクリックすると表示されるメニューの上の部分で、「ファンタジー」というカテゴリーを選ぼう。そうしたら「Dragon」をクリックだ。

ライブラリーから新しいスプライトを加えよう

今選んでいるスプライトは青いわくで囲まれているよ

Dragon

9　ドラゴンのためのコードを作ろう。ブロックパレットのカラーのボタンをクリックしてグループを選ぶ。下のようにブロックを選んでコードエリアまでドラッグする。これでドラゴンがネコを追いかけるようになるよ。

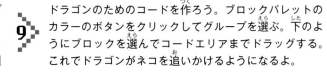

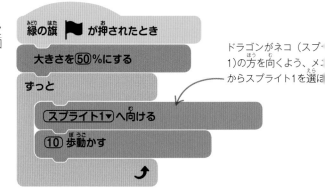

ドラゴンがネコ（スプ…1)の方を向くよう、メ…からスプライト1を選ぼ…

10　「動き」ボタンをクリックして「x座標を～、y座標を～にする」を選んでコードに組みこもう。数字をクリックして−200と−150に書きかえる。それからむらさき色の「見た目」ボタンをクリックして「コスチュームを～にする」のブロックを加えよう。

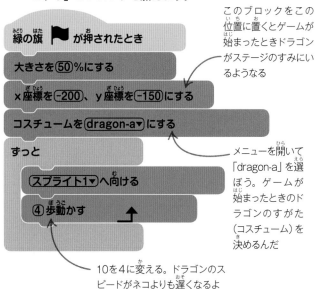

このブロックをこの位置に置くとゲームが始まったときドラゴンがステージのすみにいるようなる

メニューを開いて「dragon-a」を選ぼう。ゲームが始まったときのドラゴンのすがた（コスチューム）を決めるんだ

10を4に変える。ドラゴンのスピードがネコよりも遅くなるよ

11　ドラゴンのスプライトが選ばれているかをチェックしてから、コードエリアで2つ目のコードを作ろう。「～まで待つ」のブロックは「制御」グループ、「～に触れた」は「調べる」グループにあ…このコードを作れば、ドラゴンがネコにさわると火を吹くよう…なるよ。

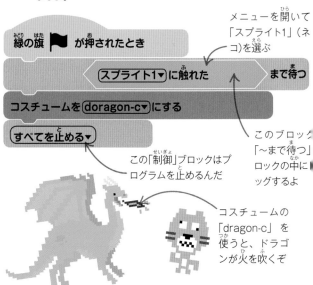

メニューを開いて「スプライト1」（ネコ)を選ぶ

このブロック…「～まで待つ」…ロックの中に…ッグするよ

この「制御」ブロックはプログラムを止めるんだ

コスチュームの「dragon-c」を使うと、ドラゴンが火を吹くぞ

12 次に「変数」を使ってタイマーを作るよ。ネコがドラゴンの炎で焼かれてしまうまでに、どれだけの時間にげていられたかを計るんだ。「変数」ボタンをクリックして「変数を作る」というボタンをクリックしよう。

13 「新しい変数名」に「タイム」と入力して「すべてのスプライト用」が選ばれているかチェックする。それから「OK」のボタンをクリックしよう。「すべてのスプライト用」なので他のスプライトもこの「タイム」を使えるよ。

変数

変数を作る

→ このボタンをクリックして変数を作る

☐ 変数

変数▼ を⓪にする

変数▼ を①ずつ変える

新しい変数

新しい変数名：

タイム

こちらを選んで「OK」をクリックしよう →

○ すべてのスプライト用　○ このスプライトのみ

キャンセル　OK

4 ステージにタイマーが表示されるようになるよ。数字のところで右クリックしよう。メニューから「大きな表示」を選ぶと、数だけが大きく表示されるようになるよ。

ドラゴンからにげられた時間（秒数）が出るようになるよ

タイム　0

普通の表示
大きな表示
スライダー

■■■ うまくなるヒント

ゲームをむずかしくする

スプライトの速さや大きさを変えてみよう。

ドラゴンを速く動かすには：

⑤ 歩動かす

ドラゴンの大きさを変えるには：

スプライトのパネルで、「大きさ」の数を変えてみよう。スプライトが大きくなったり小さくなったりするよ。

大きさ　100

5 変数を作ると、ブロックパレットの「変数」グループに新しいブロックができるよ。「タイムを0にする」と「タイムを1ずつ変える」のブロックを使って右のようなコードを作ろう。このコードを作るときは、どのスプライトを選んでもだいじょうぶだ。

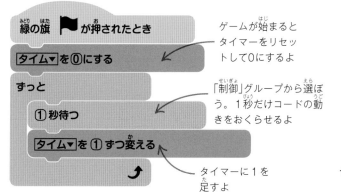

緑の旗 🏳 が押されたとき

タイム▼ を⓪にする

ずっと

　①秒待つ

　タイム▼ を①ずつ変える

ゲームが始まるとタイマーをリセットして0にするよ

「制御」グループから選ぼう。1秒だけコードの動きをおくらせるよ

タイマーに1を足すよ

セーブをわすれないように

ドラゴンからにげろ！

おいしそうなドーナツを加えよう

スクラッチのライブラリーにはスプライトがいっぱい入っているよ。ドーナツのスプライトを足して、ネコが追いかけるようにしよう。ゲームがもっと楽しくなるよ。

16 スプライトリスト右下のボタンを押し、表示される中から「Donut」をさがそう。

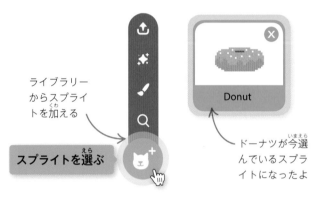

ライブラリーからスプライトを加える

ドーナツが今選んでいるスプライトになったよ

17 次のコードをドーナツのために作ろう。「マウスが押された」のブロックは「調べる」のグループにあるよ。「動き」のグループにある「マウスのポインターへ行く」のブロックは、ステージの中でマウスのボタンが押された場所にドーナツを動かすよ。

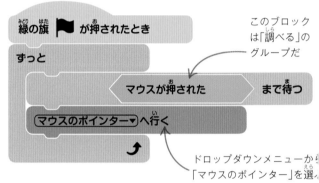

このブロックは「調べる」のグループだ

ドロップダウンメニューから「マウスのポインター」を選ぶ

18 スプライトリストでネコを選ぶと、ネコのために作ってあげたコードが表示されるね。「マウスのポインターへ向ける」のブロックのメニューをクリックしてDonutを選ぼう。これでネコはマウスのポインターではなく、ドーナツを追いかけるようになるよ。

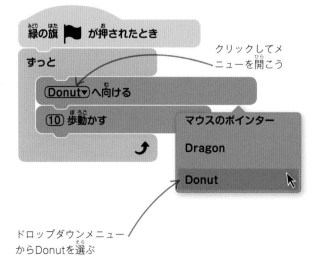

クリックしてメニューを開こう

ドロップダウンメニューからDonutを選ぶ

19 緑の旗を押して、プログラムを動かそう。マウスのボタンを押したときのポインターの場所にドーナツが移動するよ。ネコはドーナツを追いかけ、ドラゴンはネコを追いかけるんだ。

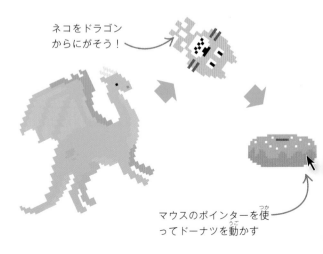

ネコをドラゴンからにがそう！

マウスのポインターを使ってドーナツを動かす

20 次は音楽を加えてみよう。ブロックパレットの上のタブから「音」を選ぼう。左下のボタンをクリックしてライブラリーから音を加えるんだ。

21 「Drip Drop」という音を選んでクリックしよう。この音がネコのスプライトに加わり、「音」エリアに表示されるよ。

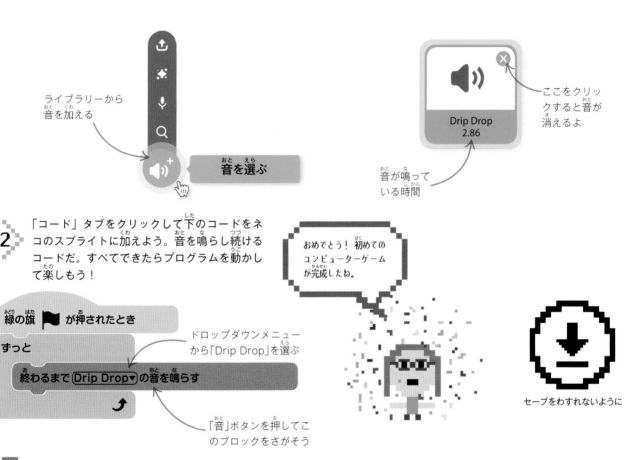

ライブラリーから
音を加える

音を選ぶ

ここをクリックすると音が消えるよ

Drip Drop
2.86

音が鳴っている時間

22 「コード」タブをクリックして下のコードをネコのスプライトに加えよう。音を鳴らし続けるコードだ。すべてできたらプログラムを動かして楽しもう！

おめでとう！ 初めてのコンピューターゲームが完成したね。

緑の旗 🚩 が押されたとき

ずっと

終わるまで Drip Drop▼ の音を鳴らす

ドロップダウンメニューから「Drip Drop」を選ぶ

「音」ボタンを押してこのブロックをさがそう

セーブをわすれないように

おぼえておこう

ここまでにやりとげたこと

スクラッチで何ができるかが少しわかってきたね。今までに習ったことをふりかえろう。

プログラムを作る：命令を表すブロックをつなげてゲームを完成させたね。

イラストを使う：背景とスプライトを使ったね。

スプライトを動かす：スプライトに追いかけっこをさせたよ。

変数を使う：ゲームのためにタイマーを作ったよ。

コスチュームを使う：コスチュームを取りかえてドラゴンのすがたを変えたよ。

音楽を使う：音を加えて、ゲームのプレイ中に鳴るようにしたよ。

スプライトを動かす

コンピューターゲームでは、うつ、よける、つかまえる、にげるといった動きがつきものだね。キャラクターを走らせ、宇宙船を飛ばし、自動車を運転するんだ。スクラッチでおもしろいゲームを作るには、まずスプライトの動かし方を覚えよう。

このページも見てみよう
❰ 28–29 　　スプライト
座標　　　　　56–57 ❱

「動き」のブロック

こい青色の「動き」ブロックを使うとスプライトを動かせるよ。「ファイル」メニューから「新規」を選べば新しいプロジェクトが始まる。ステージのまんなかにはネコがいて、君の命令を待っているよ。

1 はじめに

「動き」グループのボタンをクリックし、「10歩動かす」のブロックを選んで、すぐ右のコードエリアにドラッグしよう。それから「制御」グループの「ずっと」というブロックを選び、「10歩動かす」ブロックのまわりに置く。最後に「イベント」グループから「緑の旗が押されたとき」ブロックを選び、「ずっと」ブロックの上につなげる。緑の旗を押すと、ネコはステージのはしにぶつかるまで動くよ。

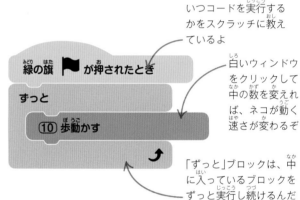

いつコードを実行するかをスクラッチに教えているよ

白いウィンドウをクリックして中の数を変えれば、ネコが動く速さが変わるぞ

「ずっと」ブロックは、中に入っているブロックをずっと実行し続けるんだ

2 はね返る

「もし端に着いたら、跳ね返える」というブロックを「ずっと」ブロックの中に入れよう。これでステージのはしに着いたネコがはね返るようになるよ。でもネコが左向きに走るときは、さか立ちしてしまうね。

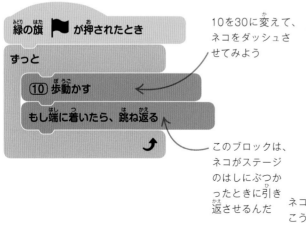

10を30に変えて、ネコをダッシュさせてみよう

このブロックは、ネコがステージのはしにぶつかったときに引き返させるんだ

3 回転のしかた

こい青色の「回転方法を左右のみにする」ブロックを、「ずっと」ブロックの中の「もし端に着いたら、跳ね返る」ブロックの下に入れよう。これで、はね返ったネコがひっくり返ることはなくなるよ。

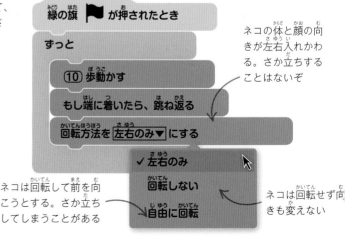

ネコの体と顔の向きが左右入れかわる。さか立ちすることはないぞ

ネコは回転して前を向こうとする。さか立ちしてしまうことがある

ネコは回転せず向きも変えない

どっちを向く？

ネコが画面を左右に動くようになったね。ネコが進む方向は、変えることができるよ。上下にも、ななめにも動かせるんだ。

−90度は左向きのことだよ

```
       0°
-90°        90°
      180°
```

▲向き

向きは「〜度」という言い方で表すよ。上のコンパスでは0度が真上だ。−179度から180度まで使えるよ。

ネコの向きを変えるには、この中の数字を変えればいいね

このブロックでネコの向きを変える

4 正しい方向に向かせる
「〜度に向ける」というブロックをコードエリアにドラッグし、白いウィンドウをクリックしよう。中の数を変えればネコの向きが変わるぞ。

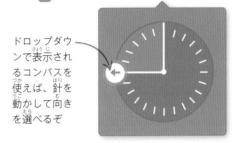

`(-90)度に向ける`

ドロップダウンで表示されるコンパスを使えば、針を動かして向きを選べるぞ

5 ネコとマウス
「10歩動かす」と「もし端に着いたら、跳ね返る」のブロックを、コードから取り去ろう。今度は「〜へ向ける」を「ずっと」の中にドラッグしてみよう。ブロックのメニューを開いて「マウスのポインター」を選ぶよ。

`緑の旗 ▶ が押されたとき`

`ずっと`

  `マウスのポインター▼ へ向ける`

マウスのポインターが動くと、ネコはポインターの方を向くんだ

ネコはマウスのポインターがある方に、体の向きを変え続けるよ

6 マウスを追いかける
「10歩動かす」を「ずっと」の中にドラッグしよう。するとネコはマウスのポインターに向けて動くようになるよ。

`緑の旗 ▶ が押されたとき`

`ずっと`

  `マウスのポインター▼ へ向ける`

  `(10)歩動かす`

この数を変えると、ネコが動く速さが変わるぞ

おぼえておこう

スプライト

スプライトはスクラッチで使う人や動物やモノのことで、自由に動かせるよ（28から29ページを見てね）。自動車、恐竜、ダンサーなど、ライブラリーからいろいろなスプライトを加えられる。自分だけのスプライトをデザインすることもできるんだ。

コスチューム

スプライトの見た目を変えるには、「コスチューム」を変えなければならないよ。コスチュームは、スプライトがいろいろなかっこうをしたイラストのことだ。

このページも見てみよう

❮ 38–39　スプライトを動かす

メッセージを　70–71 ❯
送る

コスチュームを変える

少しずつちがうコスチュームを使うと、スプライトが手足を動かしているように見えるよ。ネコの2つのコスチュームをかわるがわる表示すれば、歩いているように見える。新しいプロジェクトで、次のコードを試してみよう。

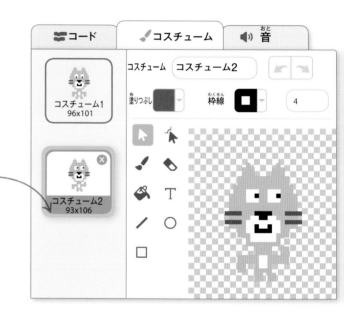

ネコのコスチュームの1つ

1 ちがうコスチューム

「コスチューム」タブをクリックしてネコのコスチュームを表示させよう。手足の位置がちがう2つのコスチュームがあるね。

2 ネコを歩かせる

このコードを実行すると、ネコは足を動かさずにステージを横切る。なぜなら、同じコスチュームを使っているからだ。

3 ネコのコスチュームを変える

ブロックパレットの「見た目」グループから「次のコスチュームにする」のブロックを加えよう。ネコは1歩ごとにコスチュームを変えるぞ。これで手足が動くようになるよ。

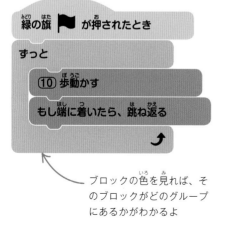

ブロックの色を見れば、そのブロックがどのグループにあるかがわかるよ

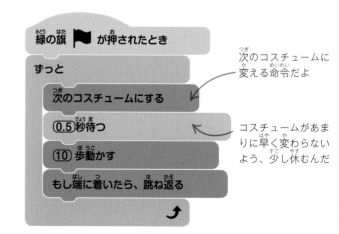

次のコスチュームに変える命令だよ

コスチュームがあまりに早く変わらないよう、少し休むんだ

おどるバレリーナ

さあ今度はバレリーナをおどらせてみるよ。ライブラリーからバレリーナのスプライトを加えよう。次にスプライトリストでネコのスプライトを選び、そのコードをドラッグしてバレリーナの上に置く。これでネコのコードがバレリーナにコピーされたよ。

スプライトリストのバレリーナの上にコードをのせよう

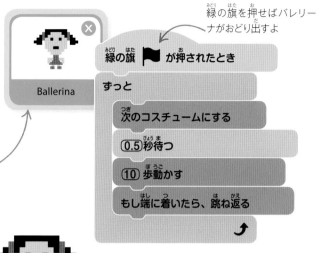

緑の旗を押せばバレリーナがおどり出すよ

```
緑の旗 🏳 が押されたとき
ずっと
    次のコスチュームにする
    0.5 秒待つ
    10 歩動かす
    もし端に着いたら、跳ね返る
```

◀ **バレリーナのコスチューム**

ネコもバレリーナも同じコードで動くよ。バレリーナには4つのコスチュームがある。ステージでおどるときには4つとも使うんだ。

■■■ **うまくなるヒント**

コスチュームを切りかえる

「コスチュームを〜にする」というブロックを使うと、スプライトは決められたコスチュームを使うよ。このブロックでスプライトのしせいも決められるんだ。

```
コスチュームを ballerina-a▾ にする
```

コスチュームを変える：ブロックの中のメニューを使ってコスチュームを選ぶよ。

```
背景を 背景1▾ にする
```

背景を変える：このブロックでステージの背景を変えるんだ。

吹き出しを加えよう

コスチュームを変えるときに、吹き出しを使ってスプライトにしゃべらせることもできるよ。「こんにちは！と2秒言う」というブロックを使うんだ。文字を書きかえて、スプライトに何かしゃべらせよう。

バレリーナが「立って」と言うよ

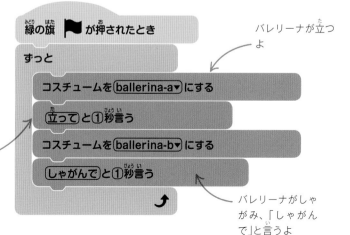

```
緑の旗 🏳 が押されたとき
ずっと
    コスチュームを ballerina-a▾ にする
    立って と 1 秒言う
    コスチュームを ballerina-b▾ にする
    しゃがんで と 1 秒言う
```

バレリーナが立つよ

バレリーナがしゃがみ、「しゃがんで」と言うよ

かくれんぼ

むらさき色の「見た目」グループのブロックを使えば、スプライトを消したりふたたび登場させたりできる。大きくしたりちぢめたり、フェードイン、フェードアウトもできるんだ。

このページも見てみよう

《 38-39　スプライトを動かす

メッセージを送る　70-71 》

スプライトをかくす

スプライトをステージから消すには、「隠す」ブロックを使おう。スプライトはステージにいて動き回っているのに、「表示する」ブロックでふたたび見えるようにするまで、すがたを消しているよ。

「隠す」ブロックを使うと、ゲームの中でスプライトのすがたが消えるよ

▶「隠す」「表示する」

スプライトのすがたをかくすには「隠す」ブロックを使う。スプライトをふたたび見えるようにしたいときは「表示する」ブロックだ。ブロックパレットの「見た目」グループにあるよ。

隠す

表示する

▼ネコをかくす

ネコのスプライトでこのコードを試してみよう。ネコは消えたりあらわれたりするけれど、見えていないときも動き続けているよ。

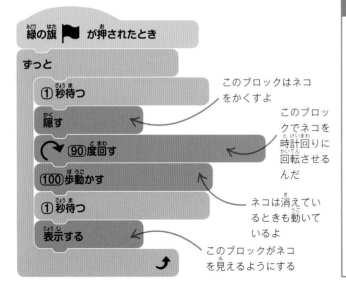

緑の旗 が押されたとき

ずっと

①秒待つ

隠す ← このブロックはネコをかくすよ

90度回す ← このブロックでネコを時計回りに回転させるんだ

100歩動かす ← ネコは消えているときも動いているよ

①秒待つ

表示する ← このブロックがネコを見えるようにする

■■ うまくなるヒント

スプライトを表示する

スプライトリストの中のスプライトを1つ選ぶと、リストの上の情報パネルが下のようになる。「表示する」の2つのアイコンを使えば、スプライトを表示したり消したりできるよ。

| スプライト | スプライト1 | ↔ x | 0 | ↕ y | 0 |
| 表示する 👁 👁 | | 大きさ | 100 | 向き | 90 |

かくれているスプライトが見えるようになる

すがたを変える

スプライトの大きさを変えたり、特殊な効果を加えられるよ。

ドロップダウンメニューからどのような見た目にするかを選ぶよ。「ピクセル化」にするとスプライトがぼやけて見えるようになる

どれくらい見た目を変えるかをここに入力する数で決めるよ

0より大きい数を入力するとスプライトが大きくなり、0より小さい数を入力すると小さくなる

`大きさを (10) ずつ変える`

`ピクセル化▼ の効果を (25) ずつ変える`

100より大きい数を入力すると大きくなり、100より小さい数を入力すると小さくなる。100だとふつうの大きさだ

`色▼ の効果を (0) にする`

`大きさを (100) %にする`

色には番号がふられている。数字を変えるとスプライトの色が変わるんだ

`画像効果をなくす`

▲ **スプライトの大きさを変える**

この2つのブロックはスプライトの大きさを変えるのに使えるよ。数で指定したり、もとの大きさの何パーセントにするかを入力するんだ。

最初の見た目に戻してしまうよ

▲ **特殊な効果**

スプライトの見た目に特殊な効果を加えたり、ゆがんで見えるようにできるんだ。いろいろ試すとおもしろいよ。

テレポートするゆうれい

スプライトのライブラリーの「ファンタジー」グループからGhost（ゆうれい）を加えよう。それから次のコードを作るんだ。ゆうれいをクリックすると、はなれた場所にテレポートするよ。

> オイラが次にどこにあらわれるか、君にはぜったいわからないさ！

`このスプライトが押されたとき`

`画像効果をなくす`

「幽霊」の効果はスプライトを少しずつ消していくよ。このブロックを20回くり返すと、スプライトは完全に消えてしまう

`20回繰り返す`

`幽霊▼ の効果を (5) ずつ変える`

この「演算」ブロックは、左右にどれだけ動かすかをランダムに決めるんだ

このブロックは、上下にどれだけ動かすかをランダムに決めるよ

`(0.1) 秒で x 座標を (-150) から (150) までの乱数 に y 座標を (-150) から (150) までの乱数 に変える`

`20回繰り返す`

`幽霊▼ の効果を (-5) ずつ変える`

ゆうれいのスプライトを少しずつ見えるようにしていくぞ

このブロックで見えなくなったゆうれいをこっそり動かすよ

イベント

黄色の「イベント」ブロックは、あらかじめ決めておいたイベントが起きたときにコードを動かし始めるよ。例えばだれかがキーを押したり、スプライトをクリックしたり、ウェブカメラやマイクを使ったときだ。

このページも見てみよう

調べる	66–67 ▶
メッセージを送る	70–71 ▶

マウスのクリック

コードで組んでおけば、プログラムが動いている間にクリックされたスプライトが、何か決めておいたことをするようにできるよ。ブロックを取りかえてみて、マウスでクリックされたとき、スプライトに何ができるか試してみよう。

「イベント」グループからこのブロックをドラッグしてこよう。コードを起動するためのブロックだよ

```
このスプライトが押されたとき
終わるまで ニャー▼ の音を鳴らす
```

▲ **スプライトをクリックしたら**
このコードは、ネコのスプライトをクリックしたときに鳴き声が出るようにするんだ。

ネコのスプライトには、初めからこの音が用意されているよ

ことば

イベントってなんだろう？

イベントというのは、「キーが押された」とか「緑の旗が押された」といった「できごと」のことだよ。イベントが起きたかどうか見はるためのブロックを一番上に置こう。コードはイベントが起きるのを待ってから動き出すぞ。

キーボードのキー

キーボードのどのキーが押されたかによって、ちがう動作をするようにプログラムを作れるよ。これから説明する以外にも、ゲームでキーボードを上手に使う方法があるよ。66から67ページも見てみよう。

どのキーを使うかはここで決めているよ

```
h▼ キーが押されたとき
ハロー と ①秒言う
```

▲ **ハローと言う**
「h」のキーを押すとスプライトが「ハロー」と言うよ。キーボードは半角英数入力にしてね。

セリフを変えてみよう

```
g▼ キーが押されたとき
バイバイ と ①秒言う
```

▲ **バイバイと言う**
「g」のキーが押されたときにスプライトは「グッバイ」と言うよ。キーボードは半角英数入力にしてね。

音を使う

君のコンピューターにマイクがついていれば、音の大きさを調べて0（とても静か）から100（とてもうるさい）までの数で表してくれるよ。「音量>10のとき」というブロックを使って、音を出すと動き始めるコードを作ろう。

1 ネコを音に反応させる

新しいプロジェクトを始めて、背景ライブラリーから「Room2」という背景を選ぼう。ネコのスプライトを背景のイスのところにドラッグしてから、次のコードを実行してみよう。

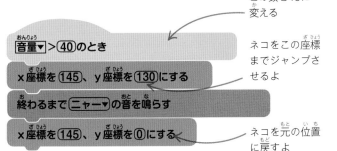

この数を40に変える

ネコをこの座標までジャンプさせるよ

ネコを元の位置に戻すよ

音量▼ >(40)のとき

x座標を(145)、y座標を(130)にする

終わるまで(ニャー▼)の音を鳴らす

x座標を(145)、y座標を(0)にする

2 ネコを大声で呼ぶ

マイクに向けて大声でネコを呼んでみよう。ネコがおどろいてイスから飛び上がり、ニャーと鳴くよ。音の大きさが足りていれば、音楽や他の音でも反応するぞ。

ウェブカメラの前で動く

ウェブカメラを持っているなら、スクラッチで使えるよ。右のコードをネコに加えよう。君がウェブカメラの前で手をふると、ネコがニャーと鳴いて反応するよ。

この数を40にする

ビデオモーション >(40)のとき

終わるまで(ニャー▼)の音を鳴らす

▲ **動きに反応する**

「ビデオモーション>10のとき」のブロックを使おう。君がウェブカメラの近くで動くとコードが実行されるようになるぞ。

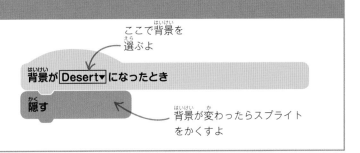

ここで背景を選ぶよ

背景が Desert▼ になったとき

隠す

背景が変わったらスプライトをかくすよ

かんたんなくり返し

くり返し（ループ）はプログラムの中で、同じことを何回かくり返すことをいうんだ。「制御」グループにはループを行うためのブロックがあって、同じことを決めた回数くり返せるよ。このようなブロックのおかげで、同じ命令を何度も書かなくてすむんだ。

このページも見てみよう

ふくざつなくり返し	68–69 ❯
パイソンでのくり返し	122–123 ❯

ずっと続くループ

「ずっと」のブロックの中に置くと、そのブロックの命令は何度でもくり返し実行されるよ。「ずっと」ブロックの下側を見てみよう。他のブロックとつながる凸凹がないんだ。

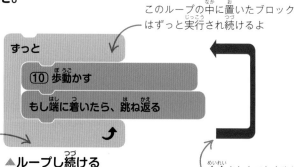

このループの中に置いたブロックはずっと実行され続けるよ

```
ずっと
  10 歩動かす
  もし端に着いたら、跳ね返る
```

この下にさらにブロックをつなぐことはできないね

▲ループし続ける
ループの中の最後のブロックが実行されると、またループの中の最初のブロックに戻って命令が実行されるよ。

命令されたことをやり終えると、ループの先頭に戻てまたやり直すよ

決まった回数のループ

決まった回数だけ同じことをくり返したい場合は、「10回繰り返す」というブロックを使うよ。ブロックの中のウィンドウに、何回ループさせたいかを入力しよう。新しいプロジェクトに「Dinosaur4」というスプライトを加えて、次のようなコードを作ろう。

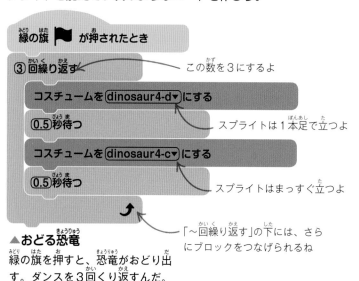

```
緑の旗 が押されたとき
  3 回繰り返す
    コスチュームを dinosaur4-d▼ にする
    0.5秒待つ
    コスチュームを dinosaur4-c▼ にする
    0.5秒待つ
```

この数を3にするよ

スプライトは1本足で立つよ

スプライトはまっすぐ立つよ

「〜回繰り返す」の下には、さらにブロックをつなげられるね

▲おどる恐竜
緑の旗を押すと、恐竜がおどり出す。ダンスを3回くり返すんだ。

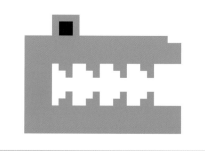

おぼえておこう

ループするブロックの形

ループを命令するブロックは動物の口のような形をしているね。くり返し実行したいブロックを口の中に入れると、口がそのブロックをはさむよ。ブロックをさらに入れると、口が大きく開いて新しいブロックをはさむことができる。

ループの中のループ

ループの中にさらにループを作ることもできるよ。入れ子構造とかネスティングというんだ。次のコードでは、恐竜はダンスを終えると右に歩き、その後、左に歩いてから少し考えるよ。一息つくと、恐竜はまたおどり始めるよ。君が赤いボタン（赤信号）を押さないかぎり、恐竜はおどり続けるんだ。

音楽も
くり返し流そう！

ステージの上の緑の旗を押してコードを動かそう

▶ループの中のループ

この「ずっと」ループの中には、さらにいくつかのループが入っているよ。それぞれのブロックが正しいループの中に入っているか注意しよう。まちがえるとプログラムがきちんと動かないよ。

緑の旗 🏳 が押されたとき

ずっと

　③回繰り返す
　　　コスチュームを dinosaur4-d▼ にする
　　　0.5秒待つ
　　　コスチュームを dinosaur4-c▼ にする
　　　0.5秒待つ
　　　↱

「ずっと」ブロックが全体をつつんでいるね

ここは前のページで出てきたコードだね

　③回繰り返す
　　　20歩動かす
　　　0.5秒待つ
　　　↱

恐竜が右へ3回進むよ

　1秒待つ
　③回繰り返す
　　　-20歩動かす
　　　0.5秒待つ
　　　↱

このブロックは恐竜を少し立ち止まらせるよ

恐竜が左へ3回進むよ

　ダンスは大好きさ と 2秒考える
　↱

恐竜に何を考えさせたいか、ここに入力してみよう。吹き出しに恐竜の考えが出てくるよ

ペンとカメ

どのスプライトにも、ツールとしてペンがついている。スプライトが動いたとおりに線を引けるよ。紙にペンで書くように、スプライトにペンを下ろさせてステージ上で動かすんだ。コードブロック左下の「拡張機能を追加」を押し、表示される中から「ペン」を選ぼう。

このページも見てみよう

❮ 44-45　　イベント

❮ 46-47　　かんたんなくり返し

「ペン」ブロック

ペンを動かすには、こい緑色のブロックを使おう。どのスプライトもペンを持っているので、「ペンを下ろす」のブロックで使えるようになる。ペンをしまうには「ペンを上げる」というブロックを使おう。ペンの太さと色も変えられるよ。

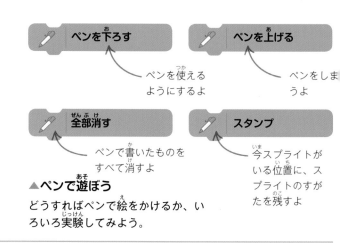

🖊 ペンを下ろす　　　ペンを使えるようにするよ

🖊 ペンを上げる　　　ペンをしまうよ

🖊 全部消す　　　ペンで書いたものをすべて消すよ

🖊 スタンプ　　　今スプライトがいる位置に、スプライトのすがたを残すよ

▲ペンで遊ぼう

どうすればペンで絵をかけるか、いろいろ実験してみよう。

四角形をかく

四角形をかくには、ステージにペンを下ろして、スプライトを四角形になるよう動かせばいいんだ。ループのブロックを使って、スプライトが四角形の4つの辺をかき、角のところで曲がるようにするよ。

▶三角形にするには？

右のコードは四角形をかくためのものだ。三角形をかくには、「～回繰り返す」のブロックの数を3にして、三角形の3つの辺をかくようにする。それから「～度回す」の角度は90度から120度に変えよう。

緑の旗 🚩 が押されたとき

🖊 ペンを下ろす　　　ペンを下げるよ

④回繰り返す

四角形の辺を書くよ

100歩動かす

↻ 90度回す　　　角を曲がるよ

①秒待つ　　　スプライトが何をしているかよく見えるよう、少し動きを止めよう

スプライトは進みながら線を引くよ

空に絵をかこう

このプログラムでは、君が飛行機をそうじゅうするんだ。この飛行機は飛んだあとに線を残すよ。線で空に何かかいてみよう。新しいプロジェクトを始めて、飛行機のスプライトを加える。それから次のコードを作るよ。

▶大空を飛びまわろう

右向き矢印と左向き矢印のキーを使って飛行機をせん回させるよ。「a」キーを押すと線を出し始め、「z」キーで線を止める。スペースキーを押せば線はすべて消えるよ。キーボードは半角英数入力にしてね。

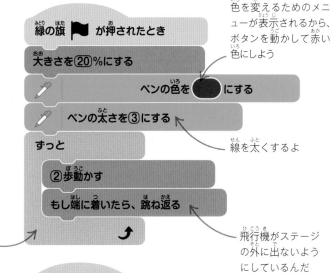

ここをクリックすると、色を変えるためのメニューが表示されるから、ボタンを動かして赤い色にしよう

```
緑の旗 が押されたとき
大きさを 20 %にする
ペンの色を ● にする
ペンの太さを 3 にする
ずっと
  2 歩動かす
  もし端に着いたら、跳ね返る
```

線を太くするよ

飛行機を飛ばし続けるよ

飛行機がステージの外に出ないようにしているんだ

ことば
タートルグラフィックス

スプライトを使って絵をかくことを「タートルグラフィックス」というよ。タートルとは英語でカメのことだね。床の上を歩き回って絵をかくカメのロボットを思いうかべてみよう。LOGOというプログラミング言語が、最初にタートルグラフィックスをとり入れたんだ。

```
右向き矢印▼キーが押されたとき
  10 度回す
```
右にせん回するよ

```
左向き矢印▼キーが押されたとき
  10 度回す
```
左にせん回するよ

```
a▼キーが押されたとき
  ペンを下ろす
```
ペンを下げる

```
z▼キーが押されたとき
  ペンを上げる
```
ペンを上げる

```
スペース▼キーが押されたとき
  消す
```
ペンで書いた線を消す

変数

プログラミングでは、変数とは情報の入れ物のことだよ。スコア、プレイヤーの名前、キャラクターのスピードなどを覚えておくのに使うんだ。

このページも見てみよう

| 計算 | 52–53 ▶ |
| パイソンの変数 | 108–109 ▶ |

変数を作る

ブロックパレットの「変数」グループを選べば、プログラムで使う変数が作れるよ。変数を作ると、ブロックパレットに新しいブロックがあらわれて使えるようになるよ。

◀ **データを入れておく**
変数は箱のようなもので、いろいろなデータを入れておける。

1 変数を作る

まずブロックパレットの「変数」のボタンをクリックしよう。それから「変数を作る」のボタンをクリックする。

2 新しい変数の名前を決める

変数には、何に使うのかがすぐ思い出せるような名前をつけよう。どのスプライトがこの変数を使うのかを選んだら、「OK」ボタンをクリックだ。

このボタンをクリックして変数を作るよ

変数

変数を作る

☐ 変数

新しい変数　✕

新しい変数名：

ステップ

ここに新しい変数の名前を入力するよ

◉ すべてのスプライト用　○ このスプライトのみ

キャンセル　OK

この変数を使うのは、プログラムのすべてのスプライトかな、それとも1つのスプライトだけかな。どちらかを選んでクリックしよう

3 新しい変数が作られる

変数が1つでも作られると、ブロックパレットに新しいブロックがあらわれる。いくつかの変数を作っているときは、ブロックのメニューでどの変数を使うのかを決めよう。

ここをチェックすると変数をステージ上に表示するよ

変数のブロックは他のブロックの中に入れて使うんだ

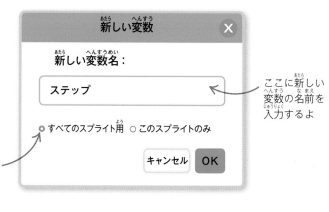

☑ ステップ

ステップ▼ を 0 にする

ステップ▼ を 1 ずつ変える

変数に何かデータを入れるときに使うブロック

変数の中のデータを変えるときに使うブロック。変数に数が入っているとき、ここに0より小さい数（負の数）を入れると数が減っていくよ

変数を使う

変数を使えば、スプライトが動く速さを変えられるよ。かんたんなコードを使ってやり方を説明するよ。

1 変数に数を入れる

「ステップを0にする」というブロックを使い、0のところを5に変えよう。それから「10歩動かす」というブロックを加えよう。10のところには変数の「ステップ」を入れるよ。

2 変数の中身を変える

「ステップを1ずつ変える」というブロックを使ってみよう。このブロックを「ずっと」ブロックの中に置けば、ネコが動くスピードがどんどん速くなるよ。

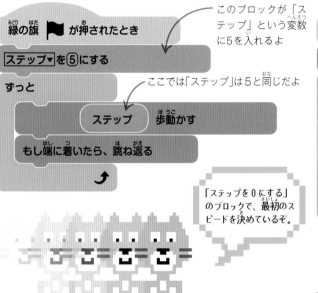

このブロックが「ステップ」という変数に5を入れるよ

ここでは「ステップ」は5と同じだよ

「ステップを0にする」のブロックで、最初のスピードを決めているぞ。

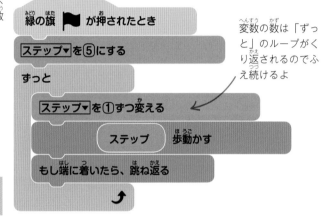

変数の数は「ずっと」のループがくり返されるのでふえ続けるよ

変数を取りのぞく

変数がいらなくなったらブロックパレットの変数のブロック上で右クリックしよう。表示されるメニューから「変数〜を削除」を選ぶんだ。変数の中の情報も消えてしまうよ。

変数

変数を作る

☐ 変数

☑ ステップ

変数名を変更

変数"ステップ"を削除

こちらを選べば、変数の名前を変えられる

■■■ うまくなるヒント

中身を変えられない変数

スクラッチが用意している変数には、中のデータを勝手に変えられないものもある。とても重要なデータなので変えられないようにしてあるんだ。そのようなブロックを「センシングブロック」というよ。

▼までの距離 目標（マウスのポインターなど）までの距離が入る

コスチュームの 番号▼ スプライトが今選んでいるコスチュームの番号が入る

向き スプライトの向きを表す度数が入る

計算

変数に数を入れるだけでなく、スクラッチの「演算」ブロックを使えば、足し算、引き算、かけ算、わり算ができるよ。

このページも見てみよう

◀ 50–51　　　　　　　変数

パイソンの計算　　　112–113 ▶

計算してみる

かんたんな計算をするための4つの「演算」ブロックがあるよ。足し算、引き算、かけ算、わり算の4つだね。

$$⑦ + ㉒$$

▲**足し算**

「＋」のブロックはウィンドウに入力された2つの数を足すよ。

$$㉞-㉘$$

▲**引き算**

「－」のブロックは左の数から右の数を引くよ。

「～と考える」のブロックを、計算の答えを表示するのに使っている

$$② + ⑤　　と考える$$

▲**計算結果を表示する**

「～と考える」のブロックをコードエリアにドラッグして「＋」ブロックをその中に入れよう。スプライトは答えを思いうかべるぞ。

$$⑪ * ⑩$$

▲**かけ算**

「×」の代わりに「＊」をかけ算のときに使うよ。

$$⑫⓪/④$$

▲**わり算**

キーボードにはわり算の記号がないので、代わりに「/」を使うよ。

答えは変数の中に

例えばセールでのねだんを決めるなど、もっとむずかしい計算をするには、数字をそのまま使うのではなく変数を利用するよ。計算の答えも変数の中に入れられるんだ。

同じやり方の計算をちがう数でくり返すときには変数が便利だよ。

1 **変数を作る**
ブロックパレットの「変数」グループで「セールのねだん」と「ねだん」という2つの変数を作ろう。

2 **ねだんを入れる**
「ねだんを0にする」のブロックを選び、「ねだん」を50にするよ。

$$ねだん▼を㊿にする$$

ドロップダウンメニューで「ねだん」を選ぶ

3 **「セールのねだん」を計算する**
「ねだん」の半分だといくらになるかを計算して「セールのねだん」にするよ。

$$セールのねだん▼を　　　ねだん　　/②　　にする$$

変数「ねだん」を2でわるため「ねだん」をウィンドウにドラッグするよ

「/」ブロックを「セールのねだんを～にする」の中に入れる

乱数

「〜から〜までの乱数」というブロックは、このはんいでランダムに数を決めるのに使うよ。どの数になるかはわからない。ゲームでサイコロをふるときや、スプライトのコスチュームをいろいろと変えるときに便利だね。

（①から⑩までの乱数）

ブロックの中の数は
変えられるよ

◀ **乱数を作る**
1年のうちのどの月にするかをランダムに決めるには「1から12までの乱数」にすればいいね。

緑の旗 🚩 が押されたとき

ずっと

　②秒待つ

スプライトがコスチュームを変える前に2秒だけ待つようにするブロックだよ

コスチュームを （①から③までの乱数） にする

1番から3番のコスチュームのどれかに決まるよ

◀ **コスチュームを変える**
このコードは2秒ごとにスプライトのコスチュームをランダムに変えるよ。

 → 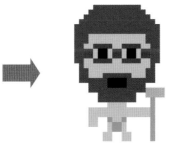 →

◀ **何に変わるかわからない**
コスチュームを変えれば、スプライトが体を動かしたり着替えたりしているように見える。

ふくざつな計算

「演算」ブロックでかんたんな計算はできるけど、スクラッチはもっとふくざつな計算もできるよ。「割った余り」というブロックは、最初の数を次の数でわったあまりを計算する。「四捨五入」というブロックは、小数点より下を四捨五入する。「平方根」を求めるブロックもあるよ。

（⑩を③で割った余り）

10を3でわったときのあまりの数を計算するよ

44.7を小数点第一位で四捨五入するよ

（44.7を四捨五入）

ドロップダウンメニューで他の計算方法も選べるよ

（⑨の 平方根▼）

9の平方根を求めるんだ

◀ **もっとふくざつな計算**
「演算」グループにはふくざつな計算に使えるブロックもあるよ。

文字列とリスト

プログラミングでは文字や記号を並べたものを「文字列」と呼ぶよ。
文字列にはキーボードにある文字や記号なら何を入れてもいいし、
どんな長さでもかまわない。文字列をいくつか集めてリストにする
こともできるよ。

このページも見てみよう

‹ **50–51** 変数

パイソンの文字列 **114–115** ›

アルファベットを洗たくものをほすように並べてみたよ。文字が並んだものを文字列と呼ぶんだ

文字をあつかう

プログラムではプレイヤーの名前など、ことばを記録しなければならないことがよくあるんだ。そうしたことばは変数を作って入れておけばいいね。スクラッチのプログラムでは、プレイヤーに質問してポップアップウィンドウのテキストボックスに入力してもらうこともできるよ。これから説明するコードでは、プレイヤーの名前をたずねて入力してもらうと、スプライトがその名前を使ってあいさつをするぞ。

1 変数を作る

ブロックパレットの「変数」ボタンをクリックして「変数を作る」のボタンをクリックしよう。「あいさつ」という変数を作るよ。

変数

変数を作る

☑ あいさつ

☐ 変数

変数の名前を「あいさつ」にする

2 質問をする

このコードはスプライトに名前をたずねさせるよ。テキストボックスに入力された文字は「答え」という変数に記録される。スプライトは「あいさつ」と「答え」の文字列をつないで、あいさつを返すんだ。

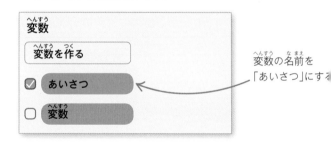

緑の旗 🏴 が押されたとき

あいさつ▾ を やあ、よく会うね。 にする

名前を教えてくれないかな？ と聞いて待つ

あいさつ 答え と言う

「やあ、よく会うね。」という文字列を変数「あいさつ」に入れるためのブロックだ

ブロックパレットの「調べる」グループにある「〜と聞いて待つ」というブロックは、テキストボックスを表示してプレイヤーに入力させるんだ

「演算」グループから「□と□」というブロックを選ぶ

この「あいさつ」には「やあ、よく会うね。」という文字列が入っている

と

「調べる」グループの「答え」という変数にはテキストボックスに入力されたデータが入っているよ

リストを作る

1つのことを覚えるだけなら変数を使えばいい。でも、にたようなことを同時にいくつも覚えるときは、変数の代わりにリストを使おう。リストにはいくつものデータ（数や文字列）を同時に入れておけるんだ。例えばゲームのハイスコアを全部入れておくこともできる。これからリストの使い方を説明するよ。

1 リストを作る

新しいプロジェクトを始めよう。ブロックパレットの「変数」グループを選んで「リストを作る」ボタンをクリックする。リスト名には「くだもの」と入力しよう。

リストの名前は「くだもの」にしよう

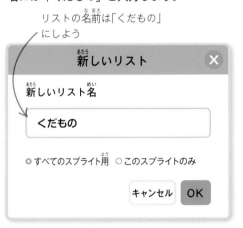

2 リストを使う

このコードはプレイヤーにくだものの名前を入力するように言うよ。入力した名前はリストに加えられた順に、スプライトの吹き出しの中に表示されるよ。

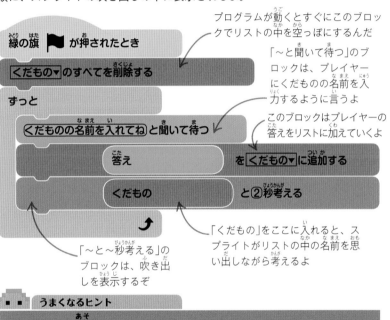

プログラムが動くとすぐにこのブロックでリストの中を空っぽにするんだ

「～と聞いて待つ」のブロックは、プレイヤーにくだものの名前を入力するように言うよ

このブロックはプレイヤーの答えをリストに加えていくよ

「くだもの」をここに入れると、スプライトがリストの中の名前を思い出しながら考えるよ

「～と～秒考える」のブロックは、吹き出しを表示するぞ

3 リストの中を見る

ブロックパレット「くだもの」というブロックの左にチェックボックスがある。ここをチェックするとステージにリストの中身が表示されるぞ。

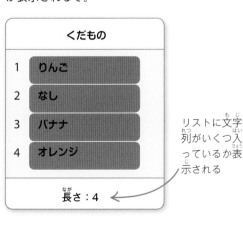

リストに文字列がいくつ入っているか表示される

■■■ うまくなるヒント

リストで遊ぶ

下のブロックを使えば、リストの中身を変えられるよ。リストの文字列にはどれも番号がつけられている。最初にリストに入った文字列が1番だ。この番号を使ってリストからデータを取り去ったり、加えたり、入れかえたりできるよ。

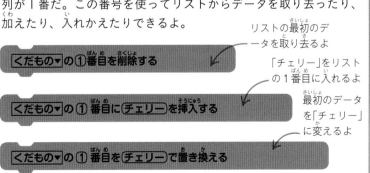

リストの最初のデータを取り去るよ

「チェリー」をリストの1番目に入れるよ

最初のデータを「チェリー」に変えるよ

座標

スプライトを決まった場所に置いたり、スプライトがいる正確な位置を知りたいときは座標を使おう。座標は2つの数でスプライトがステージのどこにいるかを示すんだ。2つの数はx軸（えっくすじく）とy軸（わいじく）での位置を表しているよ。

このページも見てみよう

❮ 38-39　スプライトを動かす

❮ 52-53　計算

x座標とy座標

スプライトがステージのどこにいるかは、画面にx座標（えっくすざひょう）とy座標（わいざひょう）で表示されるよ。

この2つのボックスに数を入れれば、スプライトの座標を変えらえるよ

☑ x座標

☑ y座標

◀**ステージに座標を表示する**
「x座標」「y座標」の左のチェックボックスをチェックすれば、スプライトの座標がステージ上にも表示されるよ。

▲**スプライトの座標**
コードリストの上の情報パネルに、スプライトが今いる座標が表示されるよ。

x軸とy軸

ステージ上の1つの点を表すには、ステージの中心から上下左右にどれくらいはなれているかを数えればいいね。左右にどれくらいはなれているかを「x」、上下にどれくらいはなれているかを「y」として、右の図に書いてみたよ。左と下にはなれるときは、マイナスの数を使っているよ。

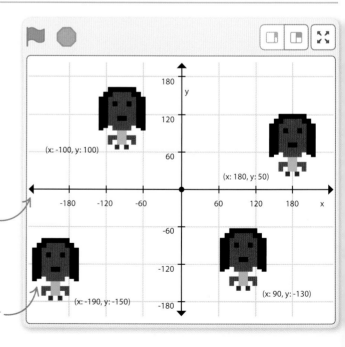

ステージにはこんなふうにx軸とy軸があるよ。でも目には見えないんだ

このスプライトはステージの中央から左に190（マイナス190）、下に150（マイナス150）はなれているよ

スプライトを動かす

スプライトをステージの決まった位置に動かすには座標を使うんだ。ブロックパレットの「動き」グループにある「1秒でx座標を0に、y座標を0に変える」というブロックを使って、スプライトをすべるように動かすコードを作るよ。

+y

0より大きい数を使うと上か右に動き、0より小さい数を使うと下か左に動くよ

−x ← → +x

−y

座標を変えてスプライトを動かそう

```
緑の旗 🚩 が押されたとき
1秒でx座標を 150 に、y座標を 100 に変える
1秒でx座標を -150 に、y座標を 100 に変える
1秒でx座標を -200 に、y座標を 100 に変える
1秒でx座標を 0 に、y座標を 0 に変える
```

▲ スプライトの位置を変える

このコードを実行したとき、スプライトがどのように動くかわかるかな。試してみよう！

スプライトを左に動かす

```
x座標を -10 ずつ変える
```

```
y座標を 125 ずつ変える
```

▲ 一方の座標だけ変える

この4つのブロックはx座標かy座標のどちらかだけを変えるときに使うよ

ステージの中心に動かす

```
x座標を 0 にする
```

```
y座標を 0 にする
```

ステージの一番上に動かす

走りまわる馬

座標を利用しておもしろいことをしてみよう。スプライトリストに「Horse」を加える。それからHorseのために次のコードを作ってあげよう。「x座標を0、y座標を0にする」というブロックと乱数を使って、馬を走らせ続けるよ。馬がどこに行くかは予想できない。馬が走ったあとには線ができるぞ。

```
緑の旗 🚩 が押されたとき
✏ ペンを下ろす
ずっと
    x座標を (-240)から(240)までの乱数 、y座標を (-180)から(180)までの乱数 にする
    0.2 秒待つ
```

このブロックを入れると馬が走ったあとに線が引かれるよ

「演算」グループから乱数を作るブロックを選ぼう

上下の位置も乱数で決めているよ

音を出そう！

ピンクの「音」グループのブロックで、効果音をつけたり曲を作ってみよう。すでにある音のファイルを使うこともできるし、新しい音を録音して利用することもできるよ。

このページも見てみよう

調べる	66-67 ▶
サル VS コウモリ	74-81 ▶

スプライトに音をつける

音を鳴らすには、そのためのブロックをコードに加えなければならない。どのスプライトもそれぞれ音を持っている。音をコントロールするには、ブロックパレットの「音」タブをクリックするんだ。

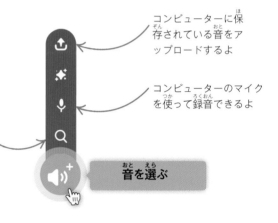

コンピューターに保存されている音をアップロードするよ

コンピューターのマイクを使って録音できるよ

このアイコンをクリックするとライブラリーから効果音を選べるよ

音を選ぶ

音を鳴らす

音を鳴らすブロックには「〜の音を鳴らす」と「終わるまで〜の音を鳴らす」の2つがあるよ。「終わるまで〜」は、音が鳴り終わるまでプログラムの動きを止めるんだ。

このメニューでどの音を使うかを決めるよ

ニャー▼ の音を鳴らす

終わるまで ニャー▼ の音を鳴らす

ニャーという音が鳴り終わるまで、次のブロックは実行されないよ

ボリュームを上げる

スプライトごとに音の大きさを調節できるよ。大きさは数字で表されていて0だと音は出ない。100は一番大きな音になるよ。

100が最大ボリュームだ

音量を 100 %にする

音の大きさを少しずつ変えるよ。マイナスの数を入れると音が小さくなるよ

音量を -10 ずつ変える

このチェックボックスをクリックすると、スプライトの音量がステージに表示されるよ

 音量

君だけの曲を作ろう

スクラッチには曲を作れるブロックがあるよ。いろいろな楽器でオーケストラを作ることもできるし、ドラマーにもなれる。音符の長さは拍という単位で決めるよ。ブロックパレット左下の「拡張機能を追加」を押し、「音楽」を選ぼう。

ここで音の高さを決めるよ

🎵 (60)の音符を(0.25)拍鳴らす

この数が大きいほど音は長く鳴る。1より小さくして音を短くすることもできるよ

🎵 楽器を(1)ピアノ▼にする

ドロップダウンメニューで楽器を選ぼう

🎵 (1)スネアドラム▼のドラムを(0.25)拍鳴らす

メニューからどのようなドラムにするかを選ぶよ

🎵 (0.25)拍休む

少しの間、音を止めるよ。この数を大きくすると鳴らない時間が長くなるよ

曲をえんそうしよう

音符をつないでメロディーにしてみよう。「音符」という変数を作って（50から51ページを見てね）、スプライトに次のようなコードを作るんだ。短い曲ができるよ。

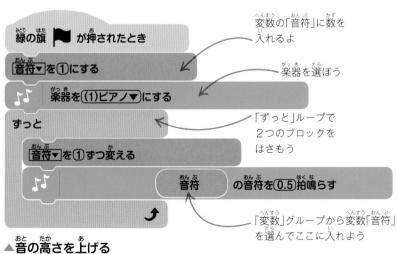

緑の旗 🚩 が押されたとき

音符▼を(1)にする

変数の「音符」に数を入れるよ

🎵 楽器を(1)ピアノ▼にする

楽器を選ぼう

ずっと

「ずっと」ループで2つのブロックをはさもう

音符▼を(1)ずつ変える

🎵 音符 の音符を(0.5)拍鳴らす

「変数」グループから変数「音符」を選んでここに入れよう

▲音の高さを上げる

このコードは緑の旗を押すと音をくり返し鳴らすんだ。音の高さが少しずつ上がっていくよ。1つの音は半拍だ。

■ ■ ■　うまくなるヒント

テンポ

曲の速さをテンポというよ。テンポは拍の長さで決まるんだ。テンポに関するブロックは3つある。

🎵 テンポを(60)にする

テンポは1分間に何拍あるかを表す「BPM」で数えるよ。

🎵 テンポを(20)ずつ変える

テンポを上げると曲が速くなり、マイナスの数を入れると遅くなるよ。

☑ 🎵 テンポ

このチェックボックスをチェックすると、ステージ上にテンポが表示される。

プロジェクト2

サイコロを作ろう

シンプルなプログラムでも便利で楽しいことができる。このプログラムで作ったサイコロは、ほんとうにふることができるよ。みんなでふって、だれが一番大きな目を出すか勝負したり、ボードゲームで遊ぶときに本物のサイコロの代わりに使ってみよう。

このページも見てみよう

❮ 40–41　コスチューム
❮ 46–47　かんたんなくり返し
❮ 50–51　変数
❮ 52–53　計算

サイコロの作り方

このプログラムでは6つのコスチュームを使うんだ。コスチュームはサイコロの6つの面（1から6まであるね）を表すよ。

1　「スプライトを選ぶ」の上に表示されるメニューから、ペイントブラシのアイコンを選ぶ。

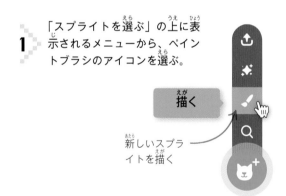

描く

新しいスプライトを描く

2　ペインティングエリアの下のボタンが「ビットマップに変換」になっているかチェックしよう。そうしたら左上にある四角形のボタンをクリックする。サイコロに色をつけるにはパレット（右のコラムを見てね）から好きな色を選ぼう。「Shift」キーを押しながらポインターをドラッグして、ペインティングエリアのまんなかに正方形を作ってみよう。

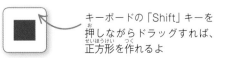

キーボードの「Shift」キーを押しながらドラッグすれば、正方形を作れるよ

■■■　**うまくなるヒント**

色を変える

ペインティングエリアの上のボタンで色を変えらえる。左の「塗りつぶし」という四角形を選ぶと中がぬりつぶされた図形、右の「枠線」という四角形を選ぶと「わく」だけが作られる。四角形のわくの太さは上下ボタンで、色はドロップダウンメニューで指定しよう。

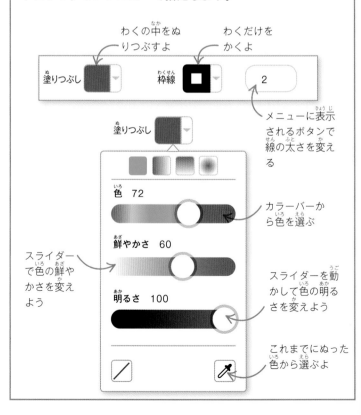

わくの中をぬりつぶすよ

わくだけをかくよ

塗りつぶし　枠線　2

メニューに表示されるボタンで線の太さを変える

塗りつぶし

色　72

カラーバーから色を選ぶ

鮮やかさ　60

スライダーで色の鮮やかさを変えよう

スライダーを動かして色の明るさを変えよう

明るさ　100

これまでにぬった色から選ぶよ

3 ペインティングエリアの左のコスチュームの上で、マウスの右ボタンをクリックしよう。「複製」を選んで6つコピーを作ろう。

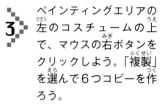

ここでコスチュームをコピーしよう

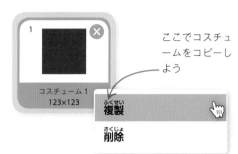

■ ■ **うまくなるヒント**

コスチュームを回す

さらにリアルに見せるため、コスチュームを少しずつかたむけてみよう。画面左下のボタンが「ビットマップに変換」になっている状態で「選択」ボタンを押す。ペインティングエリアのコスチュームをクリックすればツールが表示されるよ。

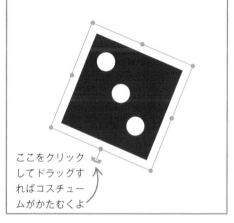

ここをクリックしてドラッグすればコスチュームがかたむくよ

4 コスチュームの1つを選んだら「円」のボタンをクリックし、パレットで白色を選ぼう。6つのコスチュームに白丸をかいてサイコロの6つの面にするんだ。

「Shift」キーを押しながらドラッグすれば丸い円がかけるよ

「costume5」には白丸を5つかこう

5 次のコードを作ろう。キーボードのスペースキーを押すとサイコロをふれるようになるよ。

スペースキーを押すとサイコロをふるよ

```
スペース▼ キーが押されたとき

コスチュームを   ①から⑥までの乱数   にする
```

6 よりリアルに見せるために、コードを工夫してみよう。次のようにすれば、5回続けてコスチュームを変えてから止まるようになる。スペースキーを押すたびにサイコロがころがっているように見えるよ。

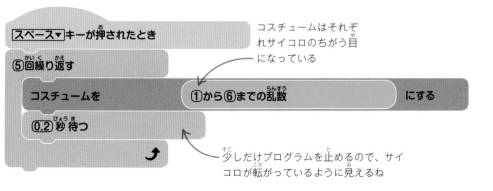

コスチュームはそれぞれサイコロのちがう目になっている

少しだけプログラムを止めるので、サイコロが転がっているように見えるね

セーブをわすれないように

正しい？ まちがい？

コンピューターが問いかけて、答えが正しいかまちがいかで何をするか決めることがあるよ。このように答えが正しい（true、トゥルー）かまちがい（false、フォース）かの2つしかない問いを「論理式」と呼ぶんだ。

このページも見てみよう

条件と分岐	**64-65〉**
判断する	**118-119〉**

数をくらべる

ブロックパレットの「演算」グループにある「＝」ブロックを使って、数をくらべられるよ。

◀「＝」ブロック

このブロックはボックスの中の数が同じならtrue（正しい）、ちがうときはfalse（まちがい）で答えるよ。

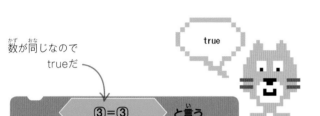

数が同じなので
trueだ

▲正しいとき

「＝」ブロックを「〜と言う」ブロックの中に入れる。数が同じだとtrue（正しい）が表示されるよ。

数がちがうので
falseだよ

▲まちがっているとき

2つの数がちがうときはfalse（まちがい）が吹き出しに表示されるんだ。

変数をくらべる

2つをくらべるブロックの中に変数を入れれば、数や文字列とくらべられるよ。決まった数同士をくらべても、いつも同じ答えになってしまうね。でも変数とくらべるなら答えは変わるんだ。

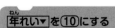

▲変数を作る

「変数」ボタンをクリックし、「年れい」という変数を作る。「年れい」を10にしておこう。それから「年れい」というブロックを右のように入れたブロックを作ろう。

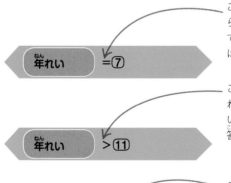

この記号は「イコール（等しい）」だから「年れい」が7と等しいかをたずねている。「年れい」は10だから答えはfalse（まちがい）だ。

この記号は「より大きい」だから「年れい」が11より大きいかをたずねている。10は11より大きくないから答えはfalse（まちがい）だ。

この記号は「より小さい」だから「年れい」が18より小さいかをたずねている。10は18より小さいから答えはTrue（正しい）だね。

▲数をくらべる

「演算」グループからくらべるためのブロックをさがそう。上の3つのブロックだよ。2つの数が同じかをくらべるだけでなく、大きいか、小さいかをくらべるブロックもあるね。

■ ■ うまくなるヒント

ことばをくらべる

「＝」ブロックは数をくらべるだけではなく、2つの文字列が同じかどうかを調べるのにも使えるよ。ただしアルファベットの大文字と小文字は区別しないから気をつけよう。

名前▼を(リジー)にする

▲ **変数を作る**
新しい変数「名前」をつくろう。その中に「リジー」という文字列を入れよう。

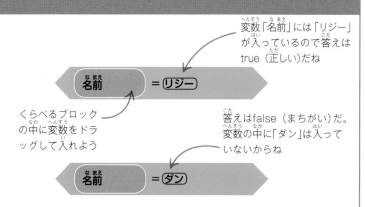

変数「名前」には「リジー」が入っているので答えはtrue（正しい）だね

くらべるブロックの中に変数をドラッグして入れよう

答えはfalse（まちがい）だ。変数の中に「ダン」は入っていないからね

～ではない

「～ではない」というブロックを使ってみよう。だれかの年れいが「10才ではない」ことを調べるのに「0才かどうか」「1才かどうか」と順番に調べたら大変だ。「10才ではない」という論理式の答えを見るようにすれば、ブロックは1つですむよ。

◀「ではない」ブロック
「ではない」ブロックはtrueとfalseの答えを入れかえるよ。

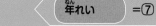

▲「ではない」ブロックがないとき
10は7と等しくないので答えはfalse（まちがい）だ。

▲「ではない」ブロックがあるとき
「ではない」ブロックを加えると答えがぎゃくになる。7は10と等しくないので、この答えはtrue（正しい）だね。

ふくざつなくらべ方

くらべるブロックを組み合わせて、もっとふくざつな問いにできるよ。いくつかの問いを同時にたずねてみよう。

▲くらべるブロック
「または」と「かつ」のブロックは論理式をつなげるのに使うよ。

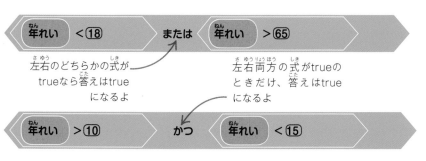

左右のどちらかの式がtrueなら答えはtrueになるよ

左右両方の式がtrueのときだけ、答えはtrueになるよ

◀**試してみよう**
左のブロックは、だれかが「18才より小さい」か、または「65才より大きい」かを調べるよ。下のブロックはだれかが「11、12、13、14才」かどうかを調べるよ。

条件と分岐

あることが正しい（true）かまちがい（false）かを調べたら、その答えを使ってコンピューターに命令を出せるよ。答えがtrueのときとfalseのときで、ちがうことをさせられるんだ。

このページも見てみよう

《 62-63　正しい？ まちがい？

調べる　66-67 》

条件を決める

「もし」ということばが入っているブロックは、次に何をするかを論理式で決めるんだ。中に入れたブロックは論理式の答えがtrueのときだけ実行されるよ。

論理式をこのウィンドウにドラッグしよう

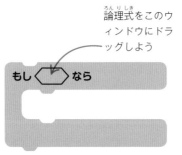

▲「もし～なら」ブロック
論理式の答えがtrueなら、このブロックの中に入れられたブロックが実行されるよ。

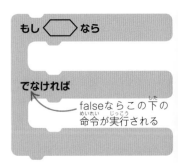

falseならこの下の命令が実行される

▲「もし～なら…でなければ」ブロック
答えがtrueなら1つめ、falseなら2つめのブロックが実行される。

「もし～なら」ブロックを使おう

「もし～なら」ブロックは論理式の答えによってコードの一部を実行するかどうかを決めるんだ。ネコのスプライトで次のコードを作ってみよう。

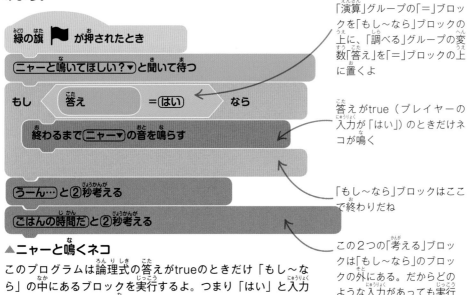

▲ニャーと鳴くネコ
このプログラムは論理式の答えがtrueのときだけ「もし～なら」の中にあるブロックを実行するよ。つまり「はい」と入力したときだけ、ネコが鳴くんだ。

「演算」グループの「＝」ブロックを「もし～なら」ブロックの上に、「調べる」グループの変数「答え」を「＝」ブロックの上に置くよ

答えがtrue（プレイヤーの入力が「はい」）のときだけネコが鳴く

「もし～なら」ブロックはここで終わりだね

この2つの「考える」ブロックは「もし～なら」のブロックの外にある。だからどのような入力があっても実行されるよ

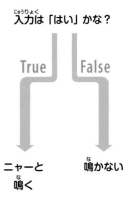

入力は「はい」かな？

True　False

ニャーと鳴く　鳴かない

▲プログラムの動き
論理式がtrue（正しい）かうかをチェックして、trueのときは「もし～なら」ブロックの中にある命令を実行るよ。

条件で分岐する

ある条件が整っているときとそうでないときで、プログラムにちがうことをさせたい場合があるね。「もし〜なら…でなければ」のブロックを使うと、プログラムの進み方が2とおりになる。これを「分岐」と呼ぶんだ。

▼分岐するプログラム

このプログラムには2つの進み方がある。1つはプレイヤーの答え（入力）が「はい」のとき。もう1つは入力が「はい」ではないときだ。

緑の旗 🏴 が押されたとき

「ぼくのこと、好き？」と聞いて待つ

もし 〈 答え ＝ はい 〉 なら

　「ぼくもだよ」と②秒言う

でなければ

　「がっかりだよ」と②秒言う

この命令は「はい」と入力されたときだけ実行されるよ

この命令は入力が「はい」以外のときに実行されるよ

入力は「はい」かな？

True　　　　　False

「ぼくもだよ」　　　「がっかりだよ」
と言う　　　　　　　と言う

▲プログラムの動き

プレイヤーの入力が「はい」かどうかをチェックして、「はい」のときは最初のメッセージ、そうでないときは2番目のメッセージを表示するよ。

■■　うまくなるヒント

論理式用のブロック

スクラッチでは論理式のブロックはとがった形をしているよ。とがっていない「くぼみ」でも、論理式のブロックを入れられるものもあるよ。

〈 マウスが押された 〉

▲「調べる」のブロック

「調べる」グループは、スプライトが他のスプライトにふれたか、何かのボタンが押されたかを調べられるよ。

〈　　　〉まで繰り返す　↰

▲「制御」のブロック

「制御」グループのブロックには、論理式用の「くぼみ」を持つブロックもあるんだ。

▶枝と分岐

木の枝と同じように、プログラムは分岐することで、いくつもの進み方にわかれていくんだ。

調べる

「調べる」グループのブロックを使うと、コンピューターで何が起きているかを調べさせられるよ。キーボードでキーが押されたかを調べたり、スプライト同士がぶつかったときにスプライトが反応するようにできるんだ。

このページも見てみよう

‹ 40–41　コスチューム

‹ 56–57　座標

キーボードを使う

「調べる」ブロックと「もし〜なら」ブロックを組み合わせると、キーボードでスプライトを動かせるようになるよ。「〜キーが押された」ブロックのメニューでは、ほとんどのキーを選べるようになっていて、半角英数入力モードで押したキーに応じてスプライトを動かせる。マウスのボタンで何かをさせることもできるよ。

キーが押されたかを調べる。調べるキーを決められるぞ

スペース▼キーが押された

マウスのボタンが押されたかを調べるブロックだよ

マウスが押された

▲「調べる」ブロック

これらのブロックを「もし〜なら」ブロックに組みこむと、プログラムの中でマウスのボタンやキーが押されたかを調べられるよ。

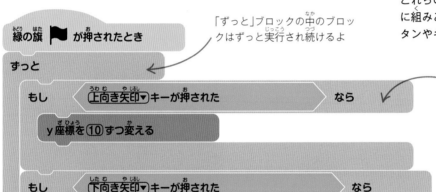

「ずっと」ブロックの中のブロックはずっと実行され続けるよ

緑の旗 🚩 が押されたとき

ずっと

　もし 〈上向き矢印▼キーが押された〉 **なら**

　　y座標を⑩ずつ変える

　もし 〈下向き矢印▼キーが押された〉 **なら**

　　y座標を-10ずつ変える

　もし 〈左向き矢印▼キーが押された〉 **なら**

　　x座標を-10ずつ変える

　もし 〈右向き矢印▼キーが押された〉 **なら**

　　x座標を⑩ずつ変える

上向き矢印が押されたか調べるブロックだ。上向き矢印が押されると、スプライトは画面の上に向かって動くよ

▲ 細かく動かす

キーボードでスプライトを動かせるようになるとゲームをするときに便利だ。

◀ スプライトを動かす

このコードはキーボードの矢印キーに合わせて、スプライトを上下左右に動かすものだ。

スプライトがぶつかったら

スプライトが他のスプライトにぶつかったかがわかると便利な場合があるね。「調べる」グループにはそのためのブロックがあるよ。また、特定の色がぬられたところをスプライトが通ったかを調べることもできるんだ。

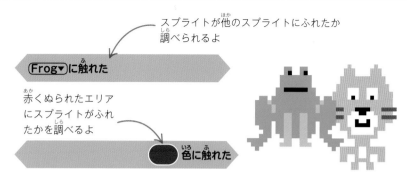

スプライトが他のスプライトにふれたか調べられるよ

> Frog▼ に触れた

赤くぬられたエリアにスプライトがふれたかを調べるよ

> ●色に触れた

「調べる」ブロックを使おう

まず左のページのコードをネコのスプライトのために作ってあげよう。それから「Room1」という背景とゾウのスプライトを新しく加えよう。「音」タブをクリックして「Trumpet2」という効果音をゾウに加えるよ。それから次のコードを作るんだ。

▼ゾウをさがせ！

このコードでは「調べる」グループのブロックを使って、ネコとゾウの距離や位置をコントロールするよ。ネコが近づくほど、ゾウの体が大きくなるんだ。ネコがゾウにさわると、ゾウはコスチュームを変えて音を鳴らし、どこかにかくれてしまうよ。

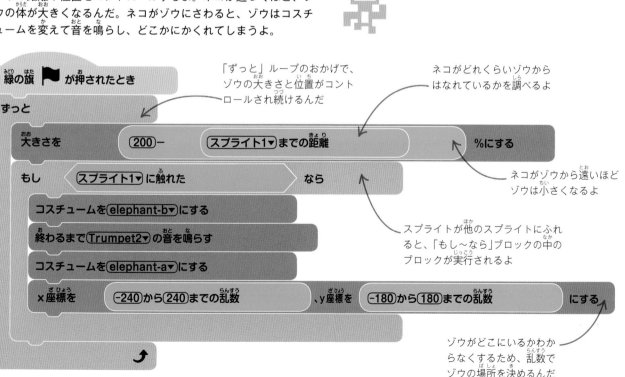

「ずっと」ループのおかげで、ゾウの大きさと位置がコントロールされ続けるんだ

ネコがどれくらいゾウからはなれているかを調べるよ

緑の旗 🚩 が押されたとき

ずっと
　大きさを （200）－（スプライト1▼ までの距離）%にする
　もし （スプライト1▼ に触れた）なら
　　コスチュームを（elephant-b▼）にする
　　終わるまで（Trumpet2▼）の音を鳴らす
　　コスチュームを（elephant-a▼）にする
　　x座標を （-240）から（240）までの乱数 、y座標を （-180）から（180）までの乱数 にする

ネコがゾウから遠いほどゾウは小さくなるよ

スプライトが他のスプライトにふれると、「もし～なら」ブロックの中のブロックが実行されるよ

ゾウがどこにいるかわからなくするため、乱数でゾウの場所を決めるんだ

ふくざつなくり返し

プログラムの一部をずっとくり返したり、決まった回数だけくり返すのにかんたんなループを使ったけど、もっとふくざつなループも使えるんだ。その命令をどのタイミングでくり返すかを、プログラムの中で決められるよ。

このページも見てみよう

❮ 46–47　かんたんな
　　　　　くり返し

❮ 62–63　正しい？
　　　　　まちがい？

何かが起きるまでくり返す

プロジェクトに「Dog1」というコードを加えよう。それから、ネコのために次のコードを作る。このコードを動かすと、イヌにぶつかるまでネコを動かし続けるよ。イヌにぶつかると、ネコが「いたい！」と言って立ち止まるんだ。

▲「〜まで繰り返す」ブロック

「〜まで繰り返す」ブロックの中のブロックは、そうなるまで何度も実行されるよ。

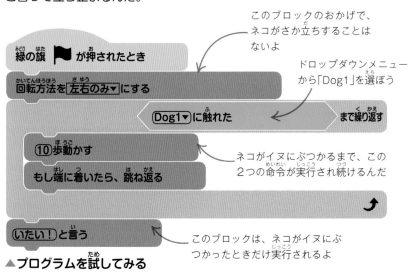

このブロックのおかげで、ネコがさか立ちすることはないよ

ドロップダウンメニューから「Dog1」を選ぼう

ネコがイヌにぶつかるまで、この2つの命令が実行され続けるんだ

このブロックは、ネコがイヌにぶつかったときだけ実行されるよ

▲**プログラムを試してみる**

イヌをネコの通り道からどけて、プログラムを動かしてみよう。それから、イヌをネコの通り道の上において何が起きるか見てみよう。

いたい！

止まれ！

「制御」グループで便利なのが「すべてを止める」ブロックだ。このブロックはコード（スクリプト）を止められるぞ。ゲームの終わりで、スプライトの動きを止めたいときに便利だ。

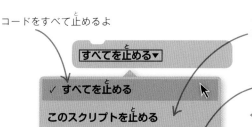

コードをすべて止めるよ

このブロックがつなげられているコードだけを止めるよ

他のコードを止めて、このブロックがつなげられているコードはそのまま動かすんだ

◀**コードを止める**

ドロップダウンメニューでどのコードを止めるのか選ぼう。

待機する

コードを少しの間止められたら、ゲームをプレイしたりプログラムがどのように動いているかを調べるのに便利だね。数秒間コードを止めるブロックや、何かが起きるまでコードを止めるブロックもあるよ。

①秒待つ

まで待つ

◀ **待機するブロック**
「〜秒待つ」は指定した秒数だけ待つよ。「〜まで待つ」はプログラムの中で決めたことが起きるまで待つんだ。

緑の旗 が押されたとき

⑤秒 待つ

待ちくたびれたよ と言う

スプライトは5秒間待ってから何かを言うよ

▲ **「〜秒待つ」ブロック**
数を入力して、スプライトを止めておく時間を指定できるよ。

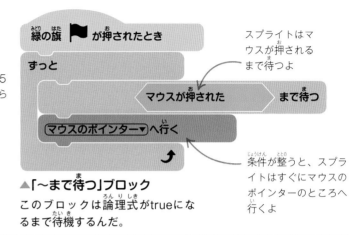

緑の旗 が押されたとき

ずっと

マウスが押された まで待つ

マウスのポインター▼ へ行く

スプライトはマウスが押されるまで待つよ

条件が整うと、スプライトはすぐにマウスのポインターのところへ行くよ

▲ **「〜まで待つ」ブロック**
このブロックは論理式がtrueになるまで待機するんだ。

マウスを磁石にしよう

ちがう種類のループを組み合わせてプログラムを作ってみよう。このプログラムは、マウスのボタンが押されると動き始める。スプライトはマウスのボタンから指がはなれるまで、マウスのポインターを追いかけるんだ。マウスのポインターが押されなくなると5回飛びはねるよ。このような命令が「ずっと」ループの中に入れられているので、マウスのボタンが押されると最初から命令がくり返されるんだ。

▶ **ネスティング**
「ずっと」ループは入れ子構造（ネスティング）になっていて、中にさらにループが入っているね。

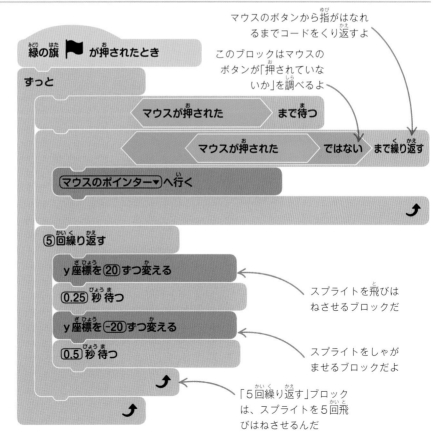

緑の旗 が押されたとき

ずっと

マウスが押された まで待つ

マウスが押された ではない まで繰り返す

マウスのポインター▼ へ行く

5回繰り返す

y座標を ⑳ ずつ変える

⑩.25 秒 待つ

y座標を ⑳ ずつ変える

⑩.5 秒 待つ

マウスのボタンから指がはなれるまでコードをくり返すよ

このブロックはマウスのボタンが「押されていないか」を調べるよ

スプライトを飛びはねさせるブロックだ

スプライトをしゃがませるブロックだよ

「5回繰り返す」ブロックは、スプライトを5回飛びはねさせるんだ

メッセージを送る

スプライト同士が会話できると便利なときがあるね。スプライトは
他のスプライトにメッセージを送って、何をしてほしいか伝えるよ。
スプライト同士に会話をさせてみよう。

このページも見てみよう

❮ 38-39　スプライトを動かす

❮ 40-41　コスチューム

❮ 44-45　イベント

メッセージを送る

「イベント」グループにあるメッセージ用のブロックは、
スプライト同士でメッセージをやりとりするのに使える
よ。うまく調整すればスプライトの動きをコントロール
できるよ。

他のスプライトすべてにメッセージを送るよ

〔メッセージ1▼〕を送る

このブロックは、メッセージを受け取ったときにコードを動かすよ

〔メッセージ1▼〕を受け取ったとき

▲メッセージ用のブロック

メッセージを送ったり受け取るためのブロックだ。新しくメッセージを作ることもできるよ。

このメッセージによって、ヒトデがサメからにげるためのコードが起動するよ

〔サメはここにいるよ▼〕を受け取ったとき

コスチュームを〔starfish-b▼〕にする

①秒でx座標を〔133〕に、y座標を〔91〕に変える

緑の旗 🏴 が押されたとき

ずっと

　表示する

　〔サメはここにいるよ▼〕を送る

　⑤秒でx座標を〔150〕に、y座標を〔-150〕に変える

　隠す

　〔サメはいなくなるよ▼〕を送る

　⑤秒でx座標を〔-150〕に、y座標を〔150〕に変える

メニューから新しいメッセージを選んで、この名前のメッセージを作ろう

ヒトデはサメの通り道からにげるよ。ヒトデのコスチュームはおびえたすがたに変わるよ

このメッセージがヒトデにサメがいなくなったのでもどっても安全だと伝えるよ

〔サメはいなくなるよ▼〕を受け取ったとき

コスチュームを〔starfish-a▼〕にする

①秒でx座標を〔0〕に、y座標を〔0〕に変える

▲サメだ！　気をつけろ！

ライブラリーからサメ（Shark）とヒトデ（Starfish）のスプライトを選ぼう。サメには上のコード、ヒトデには右の2つのコードを作ろう。サメはステージに登場するとメッセージを送り、ヒトデはサメからはなれるように動くよ。

ヒトデはステージの真ん中にもどるよ。うれしそうな顔に変わっているね

会話する

「～を送って待つ」と「～と言う」のブロックを使えば、吹き出しを利用してスプライト同士で会話ができるよ。新しいプロジェクトを始めて、ライブラリーからサルのスプライトを2つ加えよう。下の左側のコードを1番目のサルに、右側の2つのコードを2番目のサルのために作るよ。

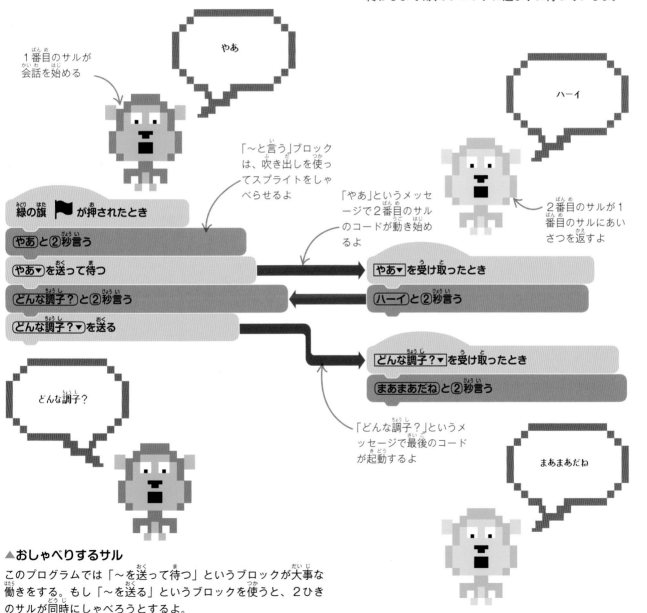

メッセージ1▼ を送って待つ

▲ **待機するブロック**

このブロックはメッセージを送り、そのメッセージに反応するように組まれたすべてのコードが動作し終わるまで、次のブロックに進まずに待っているよ。

1番目のサルが会話を始める

「～と言う」ブロックは、吹き出しを使ってスプライトをしゃべらせるよ

「やあ」というメッセージで2番目のサルのコードが動き始めるよ

2番目のサルが1番目のサルにあいさつを返すよ

緑の旗 🚩 が押されたとき

やあ と ② 秒言う

やあ▼ を送って待つ

どんな調子？ と ② 秒言う

どんな調子？▼ を送る

やあ▼ を受け取ったとき

ハーイ と ② 秒言う

どんな調子？▼ を受け取ったとき

まあまあだね と ② 秒言う

「どんな調子？」というメッセージで最後のコードが起動するよ

▲ **おしゃべりするサル**

このプログラムでは「～を送って待つ」というブロックが大事な働きをする。もし「～を送る」というブロックを使うと、2ひきのサルが同時にしゃべろうとするよ。

ブロックを作る

同じ組み合わせのブロックをいくつも作るのは大変だ。新しいブロックを作っておけば、プログラミングがとても楽になるよ。

このページも見てみよう

❮ 50-51 　　　　　 変数

さあ　　　　　 82-83 ❯
実験しよう！

自分用のブロックを作ろう

自分用のブロックを作っておいて、コードに組み入れられるよ。作り方を覚えておこう。プログラマーは、このようなあとでまた使えるプログラムの部品を「サブプログラム」とか「サブルーチン」と呼ぶんだ。

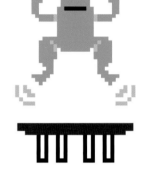

1 新しいブロックを作る

「ブロック定義」ボタンをクリックして、さらに「ブロックを作る」をクリックしよう。ブロックの名前には「ジャンプ」と入力するよ。

ここをクリックして新しいブロックを作る

2 新しいブロック

ブロックパレットに新しいブロックが、コードエリアには「定義」というブロックが出てきたよ。

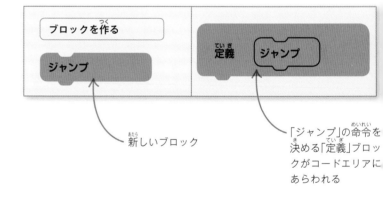

新しいブロック

「ジャンプ」の命令を決める「定義」ブロックがコードエリアにあらわれる

3 ブロックの命令を決める

「定義」ブロックを使って、どのようなブロックが「ジャンプ」に組みこまれるかを教えよう。「定義」ブロックに下のようにブロックをつなげてね。

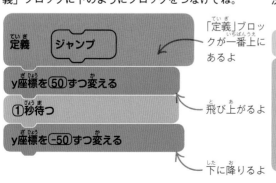

「定義」ブロックが一番上にあるよ

飛び上がるよ

下に降りるよ

4 コードで使ってみよう

これで新しいブロックをコードの中で使えるようになったよ。「ジャンプ」ブロックは、さっき決めた命令を実行するよ。

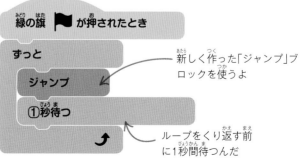

新しく作った「ジャンプ」ブロックを使うよ

ループをくり返す前に1秒間待つんだ

データを入力できるブロック

新しいブロックを作るときに、数字や文字列をあつかえるようにできるよ。スプライトをどれくらい動かすかを決める変数も入れられるんだ。

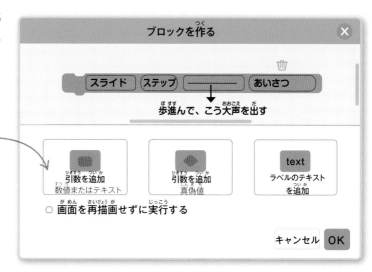

引数やテキストを追加するためのボタン

1 新しいブロックを作る

「スライド」という新しいブロックを作ろう。「引数を追加　数値またはテキスト」を選んで「ステップ」と入力する。次に「ラベルのテキストを追加」を選んで「歩進んで、こう大声を出す」と入力しよう。それからもう一度「引数を追加　数値またはテキスト」を選び、「あいさつ」と入力してから「OK」をクリックするよ。

2 ブロックの命令を決める

「定義」ブロックには「ステップ」と「あいさつ」という変数が入っているね。この2つの変数を使うときは「定義」ブロックからコードの必要なところにドラッグするんだ。でき上がったコードを、スプライトに加えてみよう。

変数「ステップ」　変数「あいさつ」

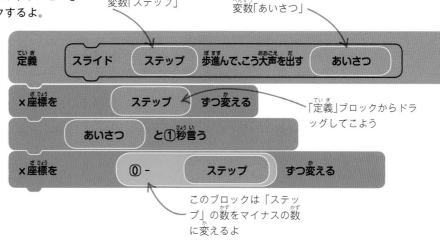

「定義」ブロックからドラッグしてこよう

このブロックは「ステップ」の数をマイナスの数に変えるよ

3 コードを実行してみよう

「ステップ」の数を変えたり、「あいさつ」の文を変えれば、スプライトの動作が変わるよ。

スペースキーが押されるとコードが動き出すよ

スプライトが20歩進んで「こんにちは」と言うよ

スプライトが80歩進んで、元気よく「こんにちはっ！」と言うよ

新しいブロックにはわかりやすい名前をつけよう。プログラムが読みやすくなるよ。

● プロジェクト3

サルVSコウモリ

スクラッチについて今まで君が習ったことをすべて使えば、動きの速い、楽しいゲームが作れるよ。これから説明するとおりに作って、コウモリにバナナを命中させて遊ぼう！

このページも見てみよう

‹ 40–41	コスチューム
‹ 38–39	スプライトを動かす
‹ 66–67	調べる

ゲーム作りを始めよう

新しいプロジェクトを始めよう。ネコのスプライトは使わないよ。スプライトリストのネコの上でマウスを右クリックし、メニューから「削除」を選んで取り去ろう。これで何もない、まっさらなプロジェクトが用意できるよ。

1 背景のライブラリーから新しい背景を加えよう。スプライトリストの右に背景用のボタンがあるよ。

ここをクリックしてライブラリーから新しい背景を加える

背景を選ぶ

2 ライブラリーから「Wall 1」という背景を選んでクリックする。レンガのカベがこのゲームにふさわしいけれど、もっと気に入った背景があれば、そちらを使ってもだいじょうぶだよ。

背景ライブラリーで好みの背景をクリックすると、ステージにその背景があらわれるよ

■ ■ ■ うまくなるヒント

エラーに気をつける

このゲームは今までに作った中で一番むずかしいプログラムだ。だからゲームがうまく動かないかもしれない。そこで注意する点をまとめてみたよ。

- 作ったコードを、正しいスプライトに加えるようにしよう。

- 説明をしっかりと読もう。変数は使う前に作っておくのをわすれずに。

- ブロックに入力した数がすべて正しいかチェックしよう。

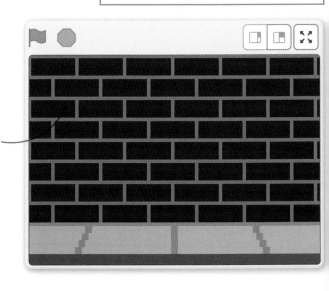

3 スプライトのライブラリーを開き、新しいスプライトを加えよう。「動物」グループの「Monkey」というスプライトを使うよ。ゲームではプレイヤーはこのスプライトをコントロールするんだ。

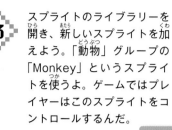

ここをクリックしてライブラリーから新しいスプライトを加える

4 サルのために次のようなコードを作ってあげよう。いろいろなブロックがあるけど、どれもブロックパレットにあるものだ。「調べる」グループのブロックは、キーボードの矢印キーでサルを動かすようにするためのものだ。コードが完成したら、試しに実行してみよう。

キーボードの矢印キーを押せばサルが左右に動くよ

緑の旗 が押されたとき

このブロックは、サルがさか立ちしないようにしているよ

回転方法を 左右のみ▼ にする

x座標を⓪、y座標を−90にする

ゲーム開始時に、サルをステージの下に配置するためのブロックだ

ずっと

この「調べる」グループのブロックは左向き矢印キーが押されたかを調べるんだ

もし 左向き矢印▼ キーが押された なら

−90▼度に向ける

−90度なのでサルは左を向くよ

10歩動かす

次のコスチュームにする

コスチュームを変えることで、サルが歩いているように見せるんだ

もし 右向き矢印▼ キーが押された なら

90▼度に向ける

90度なのでサルは右を向くよ

10歩動かす

サルを10歩進ませる

次のコスチュームにする

セーブをわすれないように

▶ サルVSコウモリ

さらにスプライトを作る

左向きと右向きの矢印キーを押すと、サルがステージを左右に動ける
ようになったね。ゲームをおもしろくするために、さらにスプライト
を作って加えよう。サルにはバナナを持たせて、ターゲットになるコ
ウモリも登場させるよ。

5 ライブラリーから「バナナ」のスプライト
を加えて、左のコードを作ろう。ゲームが
始まると、サルがバナナを持ち歩くよ。
スペースキーを押すと、サルがバナナを真上
に投げるんだ。消えたバナナはステージの
両はしにあらわれるので、サルを動かして
また拾えるぞ。

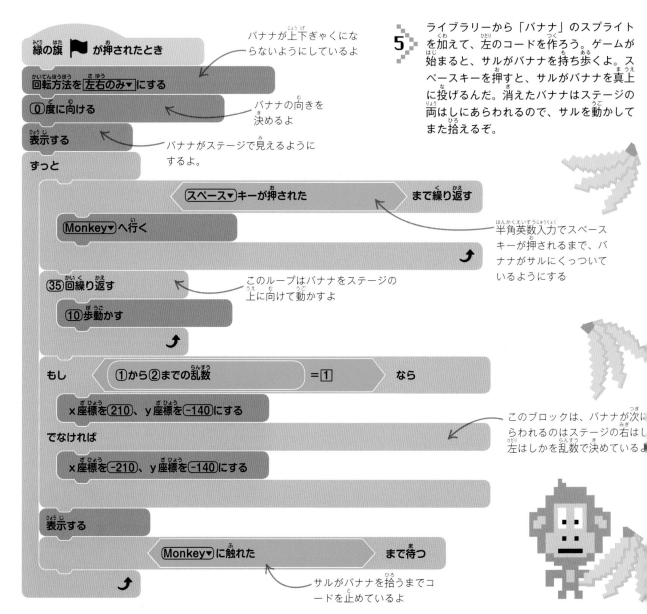

緑の旗 ⚑ が押されたとき

回転方法を 左右のみ▼ にする
　　→ バナナが上下ぎゃくにな
　　　らないようにしているよ

⓪度に向ける
　　→ バナナの向きを
　　　決めるよ

表示する
　　→ バナナがステージで見えるように
　　　するよ。

ずっと

　　スペース▼ キーが押された まで繰り返す

　　Monkey▼ へ行く
　　　　→ 半角英数入力でスペース
　　　　　キーが押されるまで、バ
　　　　　ナナがサルにくっついて
　　　　　いるようにする

　　35回繰り返す
　　　　→ このループはバナナをステージの
　　　　　上に向けて動かすよ
　　　　10歩動かす

　　もし ①から②までの乱数 =① なら
　　　　x座標を(210)、y座標を(-140)にする
　　でなければ
　　　　x座標を(-210)、y座標を(-140)にする
　　　　　→ このブロックは、バナナが次に
　　　　　　あらわれるのはステージの右はしか
　　　　　　左はしかを乱数で決めているよ

　　表示する
　　　　Monkey▼ に触れた まで待つ
　　　　　→ サルがバナナを拾うまでコ
　　　　　　ードを止めているよ

6 次にコウモリを加えよう。バナナが当たったら地面に落ちるようにするんだ。ライブラリーから「Bat」というスプライトを加え、「スピード」という新しい変数も作るよ。新しい変数を作るには「変数」ボタンをクリックし、「変数を作る」を選ぶ。変数ができたら「スピード」のブロックの前にあるチェックボックスのチェックを外そう。ステージに「スピード」を表示させないようにするためだ。

7 次のコードをコウモリに作ってあげよう。コウモリが登場する高さとそのスピードはランダムに決まるんだ。コウモリはバナナが命中するまでステージ上を左右に動くよ。バナナが当たるとコウモリは地面に落ちるんだ。

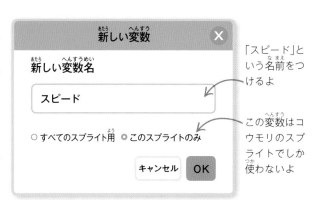

新しい変数

新しい変数名

スピード

○ すべてのスプライト用 ● このスプライトのみ

キャンセル OK

「スピード」という名前をつけるよ

この変数はコウモリのスプライトでしか使わないよ

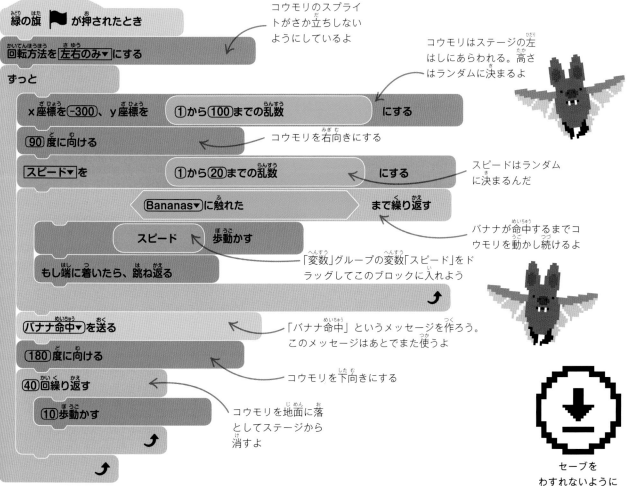

緑の旗 ▶ が押されたとき

回転方法を [左右のみ▼] にする

ずっと
　x座標を (-300)、y座標を (1)から(100)までの乱数 にする
　(90)度に向ける
　[スピード▼] を (1)から(20)までの乱数 にする
　[Bananas▼]に触れた まで繰り返す
　　スピード 歩動かす
　　もし端に着いたら、跳ね返る
　(バナナ命中▼)を送る
　(180)度に向ける
　(40)回繰り返す
　　(10)歩動かす

コウモリのスプライトがさか立ちしないようにしているよ

コウモリはステージの左はしにあらわれる。高さはランダムに決まるよ

コウモリを右向きにする

スピードはランダムに決まるんだ

バナナが命中するまでコウモリを動かし続けるよ

「変数」グループの変数「スピード」をドラッグしてこのブロックに入れよう

「バナナ命中」というメッセージを作ろう。このメッセージはあとでまた使うよ

コウモリを下向きにする

コウモリを地面に落としてステージから消すよ

セーブをわすれないように

サルVSコウモリ

仕上げ

ゲームをもっと面白くするために、タイマーとスコアを追加しよう。スコアには何回コウモリを落とせたかが記録される。時間切れになったときに表示する「ゲームオーバー」の画面も作ろう。

8 「タイム」という新しい変数を作るよ。どのスプライトでも使えるように「すべてのスプライト用」を選ぼう。チェックボックスはチェックしたままにして、プレイヤーがステージに表示されるタイムを見ながらプレイできるようにしよう。

☑ タイム

9 ステージリストの小さな背景の絵をクリックしてから、ブロックパレットの上の「背景」タブをクリックする。パレット左の「Wall 1」の上でマウスを右クリックし、「複製」を選んでコピーを作るよ。新しくできた背景に「ゲームオーバー」という文字を入れよう。

コピーでできた背景に文字を入れるには、テキストツールを使おう

ゲームオーバーの画面は、こんな感じになるよ

10 次に「コード」タブをクリックして、ステージにタイマーを加えよう。このコードが起動すると、1秒ずつカウントダウンが始まるんだ。時間がなくなると、「ゲームオーバー」という画面が表示されてゲーム終了だ。

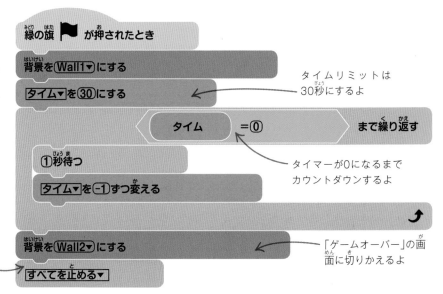

緑の旗 🏳 が押されたとき

背景を Wall1▼ にする

タイム▼ を 30 にする

タイムリミットは30秒にするよ

タイム = 0 まで繰り返す

タイマーが0になるまでカウントダウンするよ

1 秒待つ

タイム▼ を -1 ずつ変える

背景を Wall2▼ にする

「ゲームオーバー」の画面に切りかえるよ

ゲームを終わらせるんだ

すべてを止める▼

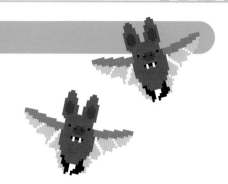

1 ▶ スプライトリストのバナナをクリックしよう。新しい変数「スコア」を作って「すべてのスプライト用」にするよ。ステージに表示されるスコアをドラッグして、ステージの左上にうつそう。

ステージに表示するためチェックボックスをチェックしたままにしよう

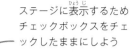

2 ▶ この短いコードをバナナに追加するよ。ゲーム開始時にスコアを0にするコードだ。

13 ▶ 次のコードもバナナに追加するよ。バナナがコウモリに命中したときに音を鳴らし、スコアに10点を足し、バナナを見えなくするんだ。

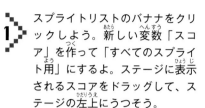

```
緑の旗 🏳 が押されたとき

スコア▼ を ⓪ にする
```

スコアをリセットするよ

バナナを見えなくする

```
バナナ命中▼ を受け取ったとき

隠す

Pop▼ の音を鳴らす

スコア▼ を ⑩ ずつ変える
```

音のライブラリーから「Pop」を加える（58から59ページを見よう）

バナナが命中するたびに10点をスコアに足すよ

4 ▶ 次にゲームに音を加えるよ。スプライトリストの右のステージをクリックして、ブロックパレットの上の「音」タブをクリックする。「Eggs」という音をライブラリーから加えるよ。

「Eggs」をライブラリーから加える

5 ▶ ステージに次のコードを追加だ。「Eggs」の音をくり返し鳴らすよ。「すべてを止める」ブロックでゲームが終わったときに音も止まるよ。

```
緑の旗 🏳 が押されたとき

ずっと

  終わるまで Eggs▼ の音を鳴らす
```

「ずっと」ループの中にあるので鳴り続けるよ

おぼえておこう

ここまでにやりとげたこと

おめでとう。とうとうスクラッチでゲームを完成させたね。ゲームを作ってどのようなことを学んだかな？

- スプライトに他のスプライトに向けて物を投げさせたよ。

- スプライトが何かをぶつけられたら、空から落ちるようにしたよ。

- ゲームに時間制限をもうけたよ。

- ゲーム中に鳴り続けるBGMをつけたよ。

- ゲームの終わりに表示する「ゲームオーバー」の画面を作ったよ。

セーブをわすれないように

サルVSコウモリ

プレイしてみよう

これでゲームで遊べるようになったよ。緑の旗を押して始めよう。時間切れになるまでに、何回バナナをコウモリに当てられるかな。

左向き矢印キー

右向き矢印キー

スペース → スペースキー

▲ サルのそうさ

キーボードのキーを使ってサルを左右に動かそう。スペースキーを押して、バナナをコウモリに投げつけるんだ。

■ ■ ▶ うまくなるヒント

スプライトをふやしてみよう

コウモリをふやすには、スプライトリストのコウモリの上でマウスを右クリックしてメニューを出す。「複製」を選ぶと、コードもいっしょにコピーされるよ。他のスプライトも加えてみよう。

1. ライブラリーからスプライトを加える。カバ（Hippo1）が空を飛んでもおもしろいね。
2. スプライトリストのコウモリをクリックする。
3. コウモリのコードをクリックし、マウスのボタンを押したままにする。
4. そのままマウスをドラッグして、スプライトリストの新しいスプライトの上で指をはなす。
5. 新しいスプライトにコードがコピーされる。

ゲームの制限時間を長くしたり、短くしたりしてみよう

コウモリを落としたとき入る点数を変えることもできるよ

タイム　30

スコア　0

コウモリのスピードを速くしてゲームをむずかしくしよう

背景を変えて、ゲームがどんな印象になるか試してみよう

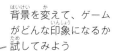

このアイコンをクリックすると全画面になるよ

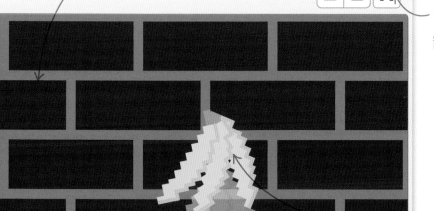

ゲームをむずかしくするには、プログラムを変えてバナナの速さをおそくしよう

サルのスプライトを変えてみるのもいいね

◀ **ゲームを改良してみよう**

スピードやスコア、音、スプライトなどを変えて、君だけの「サルVSコウモリ」ゲームを作ってみよう

さあ実験しよう！

ここまでスクラッチの基本を学んできたよ。君はもういろいろなことができるようになったはずだ。スクラッチを使えば使うほど、上手にプログラミングできるようになるよ。

このページも見てみよう

| パイソンはどんな言語だろう？ | 86–87 ▶ |
| かんたんな命令 | 102–103 ▶ |

いろいろやってみよう

これからスクラッチで何をしたらいいのか、まよっているのかな？ そんな君にいくつかアドバイスをしよう。もしプログラムを自分で作るのがまだむずかしいと思うなら、他の人が作ったプログラムを改造してみるのもいいね。

◀ クラブに入ってみる

学校のクラブや家の近くの教室で、プログラミングを教えているところはないかな？ 仲間と会って、アイデアを交換してみよう。

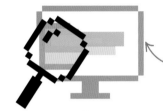

ウェブサイトでは共有されているすべてのプロジェクトのプログラムを見られるよ

▲ プログラムを見る

他の人が作ったプログラムを見るのは、プログラミングを学ぶのにとてもよい方法なんだ。スクラッチのウェブサイトで公開されているプログラムを調べてみよう。

▶ プログラムを改造する

スクラッチのウェブサイトにあるプロジェクトを作り直してみよう。スクラッチでは、改造したプログラムも他の人と共有できるんだ。

バックパック

バックパックに使いやすいコードやスプライト、音、コスチュームを入れておけば、他のプロジェクトでも利用できるよ。バックパックはスクラッチの画面の一番下にあるよ。

▶ ドラッグアンドドロップ

スプライトやコードをドラッグしてバックパックの中に入れよう。他のプロジェクトを開いたら、バックパックの中のものをドラッグして加えられるよ。

コードやスプライトをバックパックにドラッグしよう。自動的にコピーされるよ

緑の旗 が押されたとき

ずっと

やあと言う

10歩動かす

バックパック

バックパックに入っているスプライト

sprite スプライト

チュートリアル

スクラッチにはチュートリアルが用意されているよ。レッスンを1つずつ受けていけば、スクラッチの基本を学べるんだ。

1 チュートリアルを選ぶ

チュートリアルのアイコンをクリックするとライブラリーが表示される。いろいろなテーマがあるね。

💡 チュートリアル

このアイコンをクリックしてチュートリアルのライブラリーを開く

2 レッスン開始

知りたいテーマをクリックすると、どのように操作すればいいかをていねいに教えてくれるよ。

チュートリアルのライブラリーに戻る

そのレッスンの画面数だ

ウィンドウを閉じてレッスンを終える

💡 チュートリアル　　●●●●●●●●●●●　閉じる ✕

どのレッスンもビデオ形式で操作方法を1つずつ教えてくれる

次の画面に進むよ

他の言語も学ぼう

君は今、初めてのプログラミング言語を覚えたよ。でも他の言語を学ぶと、ちがうタイプのプログラムを作れるようになるよ。次はパイソンを覚えてみよう。スクラッチで学んだことは、パイソンを学ぶときにもとても役立つんだ。

▶ スクラッチににた言語

パイソンでもループ、変数、分岐を使うよ。スクラッチで覚えたことを生かして、次はパイソンにチャレンジだ！

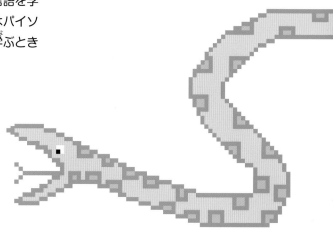

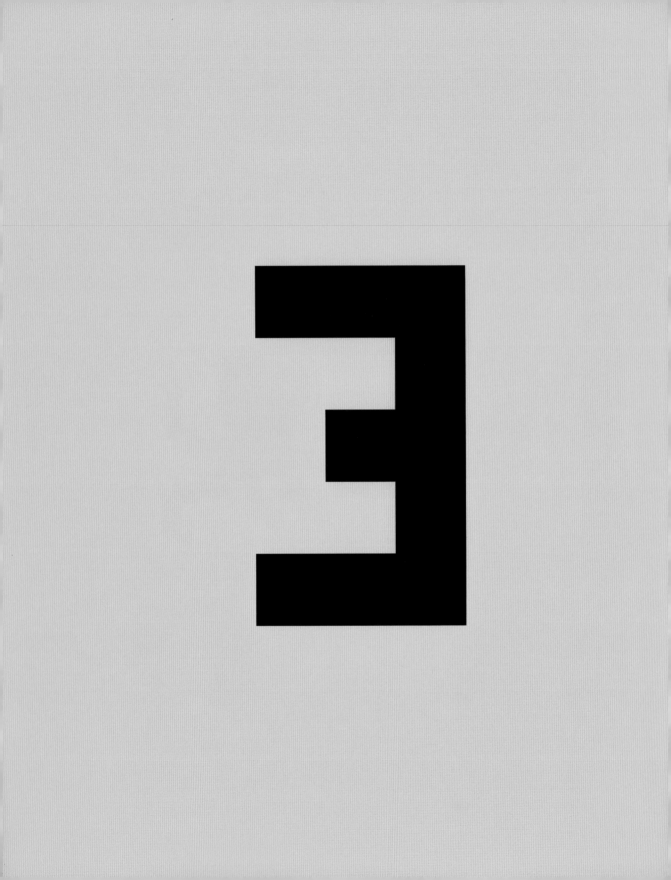

Python（パイソン）で
遊ぼう

パイソンはどんな言語だろう？

パイソンは文字で書く（テキストで書く）プログラミング言語だよ。
スクラッチよりも少し習うのに時間がかかるけど、スクラッチより
もいろいろなことに使えるんだ。

このページも見てみよう

パイソンのインストール	88–91 ❯
かんたんな命令	102–103 ❯
ふくざつな命令	104–105 ❯

便利な言語

パイソンはいろいろな目的に使える言語だよ。ワープロからウ
ェブブラウザまで、はば広いソフトウェアを作るのにパイソン
が使えるんだ。パイソンを習うとこんなにいいことがあるよ。

1 習いやすく使いやすい

パイソンはかんたんなプログラミング
言語だよ。他のプログラミング言語よりも、
読みやすくて書きやすいんだ。

2 すぐに使えるプログラムがある

パイソンのライブラリーには、すでに完成し
ているプログラムのソースコードが入っていて、君
がプログラミングするときに利用できるよ。

パイソンにはすぐに使えるプログラムがいっぱいあるぞ

3 大きな会社で使える

パイソンは実際の仕事でも使われているよ。グーグル
やNASA、ピクサーといった大きな企業で使っているぞ。

■ ■ ■ うまくなるヒント

さあ始めよう

パイソンを使ったプログラミングの方法を習う前にパ
イソンがどのように動くかを知っておくと役立つよ。

インストール：パイソンは無料で君のパソコンにイ
ンストールできるよ（88から91ページを見てね）。

インターフェースを使う：かんたんなプログラムを
作って、コンピューターに保存しておこう。

実験：かんたんなプログラムが、どのように動くか
実験しよう。

スクラッチとパイソン

スクラッチとパイソンの命令のしかたを少しくらべてみよう。

吹き出しでセリフを言うためのブロック

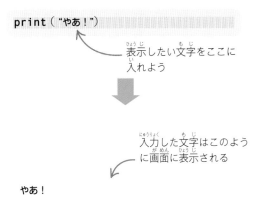

表示したい文字をここに入れよう

入力した文字はこのように画面に表示される

やあ！

▲スクラッチでの出力

スクラッチでは画面に文字を表示するために「～と言う」のブロックを使うよ。

▲パイソンでの出力

パイソンでは「print」という命令によって文字を画面に表示するよ。

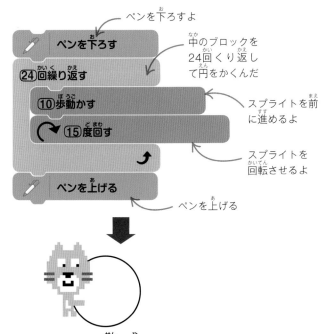

ペンを下ろすよ

中のブロックを24回くり返して円をかくんだ

スプライトを前に進めるよ

スプライトを回転させるよ

ペンを上げる

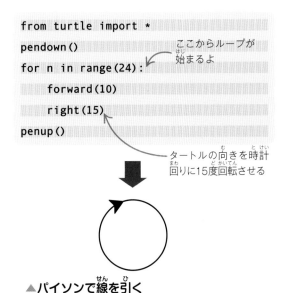

ここからループが始まるよ

タートルの向きを時計回りに15度回転させる

▲スクラッチで線を引く

ネコのスプライトを動かして円をかくために、上のコードでは「ペンを下ろす」というブロックを使っているね。

▲パイソンで線を引く

パイソンにもタートルグラフィックス（49ページを見てね）があるよ。上のプログラムで円がかけるよ。

パイソンのインストール

パイソンを使えるようにするには、ソフトウェアをダウンロードしてコンピューターにインストールしなければならないよ。パイソンのバージョン3は無料で使えるんだ。Windowsやマッキントッシュはもちろん、UbuntuのようなLinuxのオペレーティングシステム（OS）でも動くよ。

IDLEとは何だろう？

パイソン3をインストールすると、IDLE（Integrated Development Environment：統合開発環境）というプログラムも使えるようになる。IDLEは初心者向けに作られていて、パイソンのソースコードを書けるよ。

WINDOWS

▲ Windows

Windows10なら「スタート」ボタンをクリックして「設定」を選び、「システム」の中の「バージョン情報」で調べる。Windows8（8.1）なら「デスクトップ」画面でチャームを出し、「設定」から「PC情報」を選ぼう。

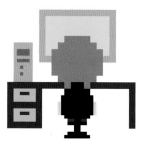

MAC

▲ マッキントッシュ

アップルのマッキントッシュを使っているなら、パイソンをインストールする前にOSのバージョンを調べよう。リンゴのアイコンをクリックして「このMacについて」を選ぼう。

UBUNTU

▲ Ubuntu

UbuntuはWindowsやマッキントッシュと同じようなOSだけど無料で使えるよ。パイソンのインストール方法は91ページを見てね。

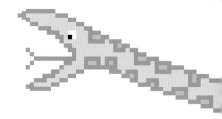

Windowsでのインストール

パイソン3をWindowsパソコンにインストールする前に、コンピューターの持ち
主の許可をとっておくこと。それから、インストールするときにはコンピューター
の「管理者権限」が必要なので持ち主に相談しておこう。

1 **パイソンのウェブサイト**
次のURL（アドレス）をウェブブラウザに入力し
て、パイソンのウェブサイトを開こう。上にならんでい
るメニューの中から「Download」をクリックしよう。

Q https://www.python.org

これがパイソンのウェ
ブサイトのURL（ア
ドレス)だよ

2 **パイソンのダウンロード**
Windows用の最新のパイソンをクリック
しよう。バージョン番号が3（3.X.X）で始まる
のがパイソン3だね。

Download the latest version for Windows
Python 3.8.0

3 **インストール**
インストーラーのダウンロードが終わったらアイコ
ンをダブルクリックしてインストールを始めよう。「Add
Python 3.7 to PATH」にはチェックを入れておこう。

パイソンのインストー
ラーファイルのアイコ
ンだよ

4 **IDLEを起動する**
パイソンが正しくインストールされたか試してみよ
う。スタートメニューから「Python」を探そう。メニュ
ーからIDLEを選ぶよ。

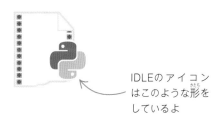

IDLEのアイコン
はこのような形を
しているよ

5 **パイソンのウィンドウが開く**
次のようなウィンドウが開くよ。これでプログラミングが始めら
れる。「>>>」（プロンプトというよ）のあとに文字を入力していこう。

```
                          Python 3.8.0 Shell

IDLE     File     Edit     Shell     Debug     Window     Help

Python 3.8.0 (v3.8.0:5fd3365926, Oct 14 2019, 13:38:16) [MSC v.1900 32 bit
(Intel)] on win32
Type "copyright", "credits" or "license()" for more information.
>>>
```

ここから入力を始めるよ

マッキントッシュでのインストール

マッキントッシュにパイソン３をインストールする前に、コンピューターの持ち主から許可をとっておこう。それから、インストールするときにはコンピューターの「管理者のパスワード」が必要なので持ち主に相談しておこう。

1 パイソンのウェブサイト
次のURL（アドレス）をウェブブラウザに入力して、パイソンのウェブサイトを開こう。上にならんでいるメニューの中から「Download」をクリックしよう。

> 🔍 https://www.python.org

2 パイソンのダウンロード
マッキントッシュ用の最新のパイソンをクリックしよう。バージョン番号が３（3.X.X）で始まるのがパイソン３だね。

> Download the latest version for macOS
> Python 3.8.0

3 インストール
インストーラーをダブルクリックしてインストールを始めよう。

4 IDLEを起動する
インストール中は「続ける」をクリックし続けよう。インストールが終わったら「アプリケーション」フォルダを開いて「Python」のフォルダを開こう。「IDLE」というアイコンをダブルクリックして、インストールが成功したかたしかめるよ。

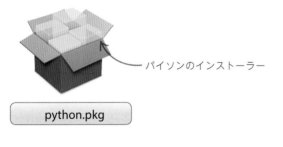

パイソンのインストーラー

python.pkg

IDLEのアイコン

5 パイソンのウィンドウが開く
次のようなウィンドウが開くはずだ。「>>>」（プロンプトというよ）に続けて文字を入力するだけで、プログラミングができるよ。

```
                    Python 3.8.0 Shell
IDLE    File    Edit    Shell    Debug    Window    Help

Python 3.8.0 (v3.8.0:1bf9cc5093, Oct 14 2019, 13:38:16)

[Clang 6.0 (clang-600.057)] on darwin

Type "copyright", "credits" or "license()" for more information.

>>>
```

Ubuntuでのインストール

最近ではUbuntuのたいていのバージョンにパイソンとIDLEがインストールされている。もし見つからないときは、下のようにすればウェブブラウザを起動せずにダウンロードできるよ。LinuxだけどUbuntuではないときは、コンピューターの持ち主にパイソン３をインストールしてほしいとお願いしてみよう。

1 Ubuntu Software Centerに行く
DockかDashでUbuntu Software Centerのアイコンをさがして、ダブルクリックしよう。

2 検索バーに「terminal」と入力する
画面左上の「アクティビティ」ボタンをクリックし、検索バーに「terminal」と入力すればUbuntuのコマンドラインのアイコンが現れるよ。

端末（terminal）のサムネイルはこんな感じだ

3 IDLEのインストール
端末を起動したら、ウィンドウに下の命令を１行ずつ入力しよう。"$" のマークの後に入力してね。

最新のソフトウェアをインストールできるよう、システムを最新にしておくよ

```
$ sudo apt-get update

$ sudo apt-get install idle3
```

IDLEの最新バージョンをインストールする

4 IDLEを起動する
検索用のバーに「IDLE」と入力するよ。青色と黄色の「IDLE」のアイコンをダブルクリックしてね。

IDLEのアイコン

5 パイソンのウィンドウが開く
次のようなウィンドウが開くはずだ。「>>>」（プロンプトというよ）に続けて文字を入力するだけで、プログラミングができるよ。

Python 3.8.0 Shell
IDLE   File   Edit   Shell   Debug   Window   Help

```
Python 3.8.0 (default, Oct 14 2019, 18:25:56)
[Open Watcom] on linux
Type "help", "copyright", "credits" or "license()" for more information.
>>>
```

IDLEについて

IDLE（Integrated Development Environment：統合開発環境）はプログラムを書いたり実行するのに便利だよ。かんたんなプログラムを作って、IDLEがどのように動くのか見てみよう。

このページも見てみよう

❮ 88-91　パイソンの
　　　　　　インストール

どっちの　　106-107 ❯
ウィンドウ？

IDLEを使ってみる

IDLEを使ってパイソンのプログラムを作ろう。プログラムをどのように入力するか、セーブするか、実行するかがわかるよ。

1 IDLEを起動する

IDLEを起動（88から91ページを見てね）すると、シェル・ウィンドウが開くよ。このウィンドウにプログラムの出力（計算結果など）やエラーのメッセージが表示されるよ。

■■ うまくなるヒント

2つのウィンドウ

パイソンのウィンドウには2つの種類があるよ。「シェル（shell）」ウィンドウと「コード（code）」ウィンドウだ（106から107ページを見てね）。この本では2つを区別するために色わけしているよ。

シェル・ウィンドウ

コード・ウィンドウ

```
Python 3.7.0 Shell

IDLE    File    Edit    Shell    Debug    Window    Help

Python 3.7.0 (v3.7.0:1bf9cc5093, Jan 15 2019, 13:38:16)

[Clang 6.0 (clang-600.057)] on darwin

Type "copyright", "credits" or "license()" for more information.

>>>
```

パイソンからのメッセージ
が表示されるよ

ここから上に表示されるものはコンピューターのOSによってちがうんだ

2 新しいウィンドウを開く

シェル・ウィンドウの一番上にあるメニューの「File」を開き、「New File」を選ぼう。これでコード・ウィンドウが開くよ。

このウィンドウはシェル・ウィンドウだね

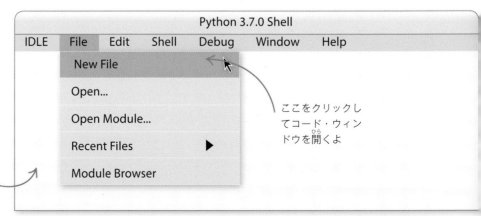

```
Python 3.7.0 Shell

IDLE    File    Edit    Shell    Debug    Window    Help

        New File

        Open...

        Open Module...

        Recent Files          ▶

        Module Browser
```

ここをクリックしてコード・ウィンドウを開くよ

3　プログラムを入力する

画面に「こんにちは」と表示するための命令を書いてみよう。ひらがなを入力するときはキーボードの入力モードを切りかえよう。

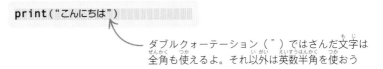

```
print("こんにちは")
```

ダブルクォーテーション（"）ではさんだ文字は全角も使えるよ。それ以外は英数半角を使おう

4　セーブする

コード・ウィンドウのメニューの「File」を開いて「Save As...」を選ぼう。ファイルの名前を「こんにちは」にして「Save」をクリックしよう。

エラーメッセージが出たら、プログラムをじっくりチェックしてみよう。

Untitled

| IDLE | File | Edit | Format | Run | Window | Help |

prin

New File

Open...

Open Module...

Recent Files　▶

Module Browser

Path Browser

Close

Save

Save As...

ここをクリックしてファイルをセーブする

5　プログラムを実行する

コード・ウィンドウのRunメニューを開いて「Run Module」を選ぼう。シェル・ウィンドウで命令が実行されるよ。

Hello World

| IDLE | File | Edit | Format | Run | Window | Help |

```
print("こんにちは")
```

Python Shell

Check Module

Run Module

ここを選んでプログラムを実行する

6　シェル・ウィンドウの出力

シェル・ウィンドウを見てみよう。プログラムを実行すると、「こんにちは」という文字が表示されるはずだ。

```
>>>
こんにちは
>>>
```

メッセージはダブルクォーテーションがつかずに表示されるよ

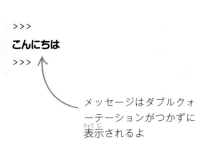

おぼえておこう

IDLEの3ステップ

IDLEを使うときはいつも「プログラムを書く」「セーブする」「実行する」という3つのステップを守ろう。セーブしていないプログラムは実行できないよ。もしセーブしていないと注意のメッセージが表示されるよ。

書く ➡ セーブ ➡ 実行

エラー（まちがい）

もしプログラムがうまく動かなくても、必ず直せるよ。入力したソ
ースコードがまちがっていると、パイソンはエラーメッセージを表
示して、どこがおかしいか教えてくれるんだ。

このページも見てみよう

バグと	148–149 ❭
デバッグ	
この次は？	176–177 ❭

コード・ウィンドウでのエラー

コード・ウィンドウでプログラムを実行してみたときに「SyntaxError」
というようなエラーメッセージが書かれたウィンドウが出てくるかもしれ
ない。これはプログラムにまちがいがあって止まったので、直してほしい
ということなんだ。

1 書き方のまちがい

ポップアップウィンドウの左上に
「SyntaxError」とあるときは、スペル
のまちがいや入力ミスの場合が多いよ。

2 まちがいの位置

「OK」をクリックして、プログラムの
ソースコードを見直そう。まちがいがあると
ころの近くが赤くなっているぞ。

うしろ側のダブルクォーテ
ーション（"）がないぞ

まちがいがある行の
うしろは赤くなるよ

スペルのミス
があるという
ことだよ

スペースの使い方がまち
がっているので、プログ
ラムが止まったんだ

■ ■ ■　うまくなるヒント

よくあるエラー

特にまちがいやすいのは次のようなケースだ。

大文字と小文字：パイソンははっきり区別するよ。「print」
を「Print」にしただけでパイソンには通じないよ。

クォーテーション：シングル（'）とダブル（"）をまぜな
いように。文字列などをはさむときは、同じ種類のクォ
ーテーションを使おう。

マイナスとアンダーバー：マイナス（—）とアンダーバ
ー（＿）はしっかり区別しよう。

かっこの種類：( )、{ }、[ ]というようにかっこにはいく
つも種類があるよ。しっかり使いわけよう。かっこでく
くるときは同じ種類のかっこを使おう。

シェル・ウィンドウでのエラー

シェル・ウィンドウに赤い文字でエラーメッセージが表示されることもあるよ。この場合もプログラムは止まってしまうよ。

赤い文字が出たら何かまちがいがあるよ！

1 名前のまちがい

「NameError」と表示されたら、パイソンがわからない名前が使われているということだ。シェル・ウィンドウのエラーメッセージの上で右クリックして、表示されるメニューから「Go to file/line」を選ぼう。

コード・ウィンドウのこの行にまちがいがあったよ

```
>>>
Traceback (most recent call last):
    File "C:\PythonCode\errors.py", line 1, in <module>
        pront("こんにちは")
NameError: name "pront" is not defined
```

パイソンはこの名前（pront）がわからなかったんだ

```
Cut
Copy
Paste
Go to file/line
```

ここを選ぶと、コード・ウィンドウでまちがいのある行が表示されるぞ

2 まちがいを直す

「print」と入力しなければいけないのに「pront」にしてしまったんだね。コード・ウィンドウでまちがいを直そう。

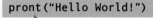

```
pront("Hello World!")
```

ここを「print」にすればいいね

エラーを見つける

うまくいかないときは、プログラムのまちがいをしっかり見つけて、ちゃんと直そう。右のチェックリストは、まちがいを見つけるのに役立つぞ。

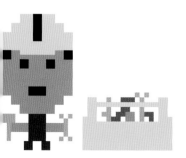

エラーチェックリスト	
次のことをチェックしてみよう	✓
説明どおりに入力したかな？	✓
スペルは正しいかな？	✓
表示したい文字列を囲むのに、ダブルクォーテーション（"）を2つ続けて入力していないかな？	✓
行の最初にいらないスペースが入っていないかな？ スペースの位置や数はパイソンでは重要だよ。	✓
まちがいがあった行の上下の行も見てみよう。まちがいがあるかもしれないよ。	✓
他の人にソースコードを見てもらおう。まちがいを見つけてくれるかもしれないよ。	✓
パイソン3を使っているかな？ パイソン2だと同じプログラムでも動かないことがあるよ。	✓

プロジェクト4

ゆうれいゲーム

かんたんなゲームを作って、パイソンでプログラムを書くときの注意点を学ぼう。プログラムを入力したらゲームを楽しもう。ゆうれいやしきから逃げられるかな？

このページも見てみよう

ゆうれいゲームを　**98-99〉**
分析しよう

プログラムの　**100-101〉**
流れ

1 IDLEを起動してメニューの「File」から「New File」を選ぶ。新しいウィンドウ（コード・ウィンドウ）が開くので「ゆうれいゲーム」という名前でセーブしよう。日本語の文字以外は、すべて英数半角で入力してね。

ダブルクォーテーションは半角で入力しよう

大文字で書かれているところ以外はすべて小文字を使おう

コロン（:）の書きわすれに注意

マイナス（ー）ではなくアンダーバー（_）だ

この部分は小文字スペース4文字分が自動的に下がるようになっている。もしそうならないときは「feeling_brave」のうしろにコロン（:）が入っているかチェックだ

この行を書くときは、自動的に位置を下げられてしまう（インデントというよ）ので、スペースを4文字へらして位置を変えよう

この行もスペースをすべてとって位置を直そう

イコール（=）を2つつなげて書こう

```python
# Ghost Game
from random import randint
print(" ゆうれいゲーム ")
feeling_brave = True
score = 0
while feeling_brave:
    ghost_door = randint(1, 3)
    print(" ドアが3つある。")
    print(" そのうち1つのドアの向こうにゆうれいがいる。")
    print(" さあ、何番のドアを開ける？ ")
    door = input(" 1、2、それとも3？ ")
    door_num = int(door)
    if door_num == ghost_door:
        print(" ゆうれいだ！ ")
        feeling_brave = False
    else:
        print(" ゆうれいはいなかった！ ")
        print(" となりの部屋に入れたよ。")
        score = score + 1
print(" 逃げろ！ ")
print(" ゲームオーバー！　スコアは ",score," です。")
```

2 プログラムを正しく入力したら、まずプログラムをセーブしよう。それからメニューの「Run」をクリックして「Run Module」を選ぼう。

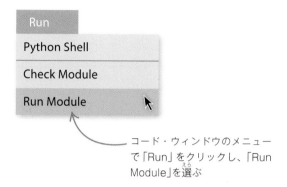

コード・ウィンドウのメニューで「Run」をクリックし、「Run Module」を選ぶ

3 シェル・ウィンドウで「ゆうれいゲーム」が始まるよ。ゆうれいは3つの部屋のどれかにいる。1、2、3の数字のうち1つを入力してEnterキーを押そう。

ゆうれいゲーム

ドアが3つある。

そのうち1つのドアの向こうにゆうれいがいる。

さあ、何番のドアを開ける？

1、2、それとも3？

ゆうれいがいないと思うドアの番号を入力しよう

4 このゲームの目的は、ゆうれいがいない部屋のドアを選ぶことだ。ゆうれいがいなければ、次の部屋に入ってゲームを続けられるよ。

ゆうれいゲーム

ドアが3つある。

そのうち1つのドアの向こうにゆうれいがいる。

さあ、何番のドアを開ける？

1、2、それとも3？ 3

ゆうれいはいなかった！

入力した数字はここに表示される

選んだドアの向こうにゆうれいがいなければ、このように表示されるよ

5 ゆうれいがいるドアを開けてしまうと、ゲームは終わってしまう。プログラムをもう一度動かして、もっと高いスコアを目指そう。

ゆうれいゲーム

ドアが3つある。

そのうち1つのドアの向こうにゆうれいがいる。

さあ、何番のドアを開ける？

1、2、それとも3？ 2

ゆうれいだ！

逃げろ！

ゲーム・オーバー！　スコアは0です。

ドアの向こうにゆうれいがいると、このように表示されるよ

ゆうれいにあわずに入れた部屋の数がスコアになる

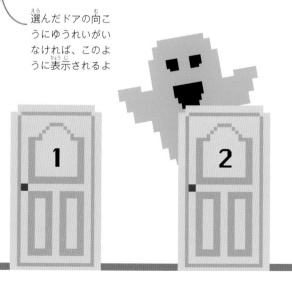

ゆうれいゲームを分析しよう

ゆうれいゲームには、パイソンの重要な特徴が生かされているよ。
ソースコードを分析して、プログラムがどのような部分にわかれて
いて、各部分がどのような役割をしているかを調べるよ。

このページも見てみよう

《 96-97　ゆうれいゲーム

プログラムの　100-101 》
流れ

ソースコードの各部分

一部の行の先頭にはスペースが入っている。これは命
令のグループをはっきりさせるための工夫で、字下げ
とかインデントというんだ。例えば「while feeling_
brave」のあとのコードは4文字字下げされていて、
メインのループがどこまで続いているのかがよくわか
るね。

```
# Ghost Game
from random import randint
print("Ghost Game")
feeling_brave = True
score = 0
while feeling_brave:
    ghost_door = randint(1, 3)
    print("Three doors ahead...")
    print("A ghost behind one.")
    print("Which door do you open?")
    door = input("1, 2 or 3?")
    door_num = int(door)
    if door_num == ghost_door:
        print("GHOST!")
        feeling_brave = False
    else:
        print("No ghost!")
        print("You enter the next room.")
        score = score + 1
print("Run away!")
print("Game over! You scored", score)
```

ゲームを準備する部分

メインのループ

分岐部分

ゲームを終わらせる部分

これは「コメント」といって、ゲームのプ
ログラムを実行しても表示されないよ

1　ゲームを準備する部分

この部分の命令は、ゲームが
始まったときに1回だけ実行される
よ。タイトルや変数を用意したり、
「randint」という命令を使えるよ
うにしているんだ。

```
# Ghost Game
from random import randint
print("ゆうれいゲーム")
feeling_brave = True
score = 0
```

この行で乱数を作る
「randint」という命令を使
えるようにしているよ

「print」の命令はテキスト（文
字）を画面に表示するんだ

ここでスコアを0にする

うまくなるヒント

気をつけてタイピングしよう

パイソンを使うときはソースコードを
注意して入力しよう。コロン、クォー
テーション、かっこの入力をまちが
えるとプログラムは正しく動かないよ。
大文字、小文字の区別やスペースも
正しく入力しよう。

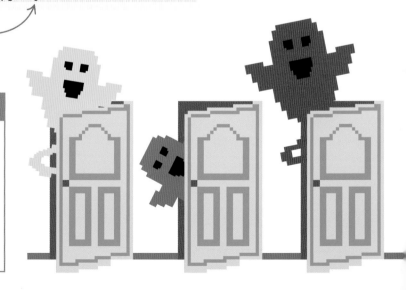

2 メインのループ

このループでは、プレイヤーにどのドアを開けるか入力してもらうんだ。選んだドアの向こうにゆうれいがいない間は、このループがずっと続く。ゆうれいがいた場合は、変数の「feeling_brave」が「False」に変わってループが止まるよ。

3 分岐部分

プレイヤーが選んだドアの向こうにゆうれいがいたかどうかで、プログラムの流れが変わってくるよ。ゆうれいがいた場合は、変数「feeling_brave」に「False」がセットされる。ゆうれいがいなければ、スコアが1だけふえるんだ。

```python
while feeling_brave:
    ghost_door = randint(1, 3)
    print(" ドアが3つある。")
    print(" そのうち1つのドアの向こうにゆうれいがいる。")
    print(" さあ、何番のドアを開ける?")
    door = input(" 1、2、それとも3?")
    door_num = int(door)
    if door_num == ghost_door:
        print(" ゆうれいだ!")
        feeling_brave = False
    else:
        print(" ゆうれいはいなかった!")
        print(" となりの部屋に入れたよ。")
        score = score + 1
```

1から3の間の乱数を作るよ

この行でプレイヤーに答えをたずねる

この分岐は選んだドアの向こうにゆうれいがいた場合

ゆうれいがいなければ、このメッセージが表示される

ゆうれいにあわなければ、スコアが1ずつふえていくよ

4 ゲームを終わらせる部分

この部分は、プレイヤーがゆうれいにあってループが止まったときに1回だけ実行されるよ。字下げされていないので、ループの一部ではないとわかるんだ。

```python
print(" 逃げろ!")
print(" ゲームオーバー! スコアは ",score," です。")
```

変数「score」の数は、プレイヤーがいくつの部屋を通りぬけられたかで変わるんだ

■■■ **おぼえておこう**

ここまでにやりとげたこと

おめでとう。初めてパイソンでゲームを作ったね。これからあとのページでは、いろいろな命令についてもっとくわしく説明するよ。

ソースコードを入力する：パイソンのソースコードを入力してセーブしたよ。

プログラムを実行する：パイソンのプログラムの実行方法を習ったよ。

インデントさせる：インデント(字下げ)して、わかりやすいプログラムを書いたよ。

変数を使う：スコアを数えるのに変数を使ったよ。

テキストを表示する：画面にテキスト(文字)を表示したよ。

プログラムの流れ

パイソンをくわしく習う前に、プログラム全体がどのように動いているかを知っておくのは大事だよ。スクラッチで覚えたプログラミングの基本は、パイソンでも使えるよ。

このページも見てみよう

◀ 30-31　ブロックとコード

かんたんな命令 102-103 ▶

ふくざつな命令 104-105 ▶

入力から出力まで

プログラムは情報を受けとって、処理や計算してから結果を返すんだ。プログラムに情報を与えることやその情報を入力（インプット）、結果を返すことやその結果を出力（アウトプット）というよ。パティシエが材料を集めて、おいしいケーキを作るのとにているね。

入力（インプット）　　**処理、計算**　　**出力（アウトプット）**

入力命令

キーボード

マウス

変数

計算

ループ

分岐

関数

出力命令

画面

グラフィックス

◀ パイソンでのプログラムの流れ

キーボードやマウスは情報を入力するのに使われるよ。情報はループ、分岐、変数などを使って計算されたり処理されるんだ。それから、その結果が画面に表示されるよ。

ゆうれいゲームをスクラッチに置きかえる

プログラムの流れは、ほとんどのプログラミング言語で同じなんだ。パイソンのゆうれいゲームをスクラッチでやってみるとどうなるかな？

> パイソンとスクラッチは
> じつはにているぞ。

1　入力（インプット）

パイソンではキーボードを使って命令を入力する。この命令はスクラッチの「〜と聞いて待つ」ブロックににているね。

```
door = input("1、2、それとも3？")
```

この質問が画面に表示されるよ

質問はスクラッチのブロックに入力されているね

【1、2、それとも3？】と聞いて待つ

スクラッチの「〜と聞いて待つ」ブロック

2　処理、計算

スコアを記録するために変数が使われ、ゆうれいがいる部屋を決めるために「randint」関数が使われている。スクラッチでは2種類のブロックで処理するよ。

```
score = 0
```

変数「score」に0を入れているね

このブロックは変数「score」に0を入れるよ

【score▼】を【0】にする

スクラッチの「〜を0にする」ブロック

```
ghost_door = randint(1, 3)
```

1から3の間の数をランダムに選ぶよ

【1】から【3】までの乱数

スクラッチの「〜から〜までの乱数」ブロック

このブロックは乱数を1つ作るよ

3　出力（アウトプット）

パイソンでは出力するのに「print()」関数を使うよ。スクラッチの「〜と言う」ブロックと同じだ。

画面に「ゆうれいゲーム」と表示するよ

吹き出しを使って「ゆうれいゲーム」と表示する

```
print("ゆうれいゲーム")
```

【ゆうれいゲーム】と言う

スクラッチの「〜と言う」ブロック

かんたんな命令

スクラッチにくらべるとパイソンは少しわかりにくいかもしれない。だけどこの2つのプログラミング言語は見た目ほどにはちがわないんだ。パイソンとスクラッチでよく使う命令を表にしてくらべてみたよ。

このページも見てみよう

《 86-87 パイソンはどんな
言語だろう？

ふくざつな命令 104-105 》

命令	パイソン	スクラッチ
プログラムを実行する	「Run」メニューから選ぶか、F5キーを押す（コード・ウィンドウ）	 🚩
プログラムを止める	Ctrlキーを押しながらCキーを押す（シェル・ウィンドウ）	 ⬣
画面に文字を表示する	print（"やあ！"）	やあ！ と言う
変数に数をセットする	magic_number = 42	magic_number▼ を 42 にする
変数に文字列をセットする	word = "ドラゴン"	word▼ を ドラゴン にする
キーボードから入力した文字を変数にセットする	age = input（"年れいは？"） print（"わたしは" + age）	年れいは？ と聞いて待つ わたしは と 答え と言う
変数に数を加える	cats = cats + 1 または cats += 1	cats▼ を 1 ずつ変える
足す	a + 2	a ＋2
引く	a - 2	a －2
かける	a * 2	a ＊2
わる	a / 2	a ／2

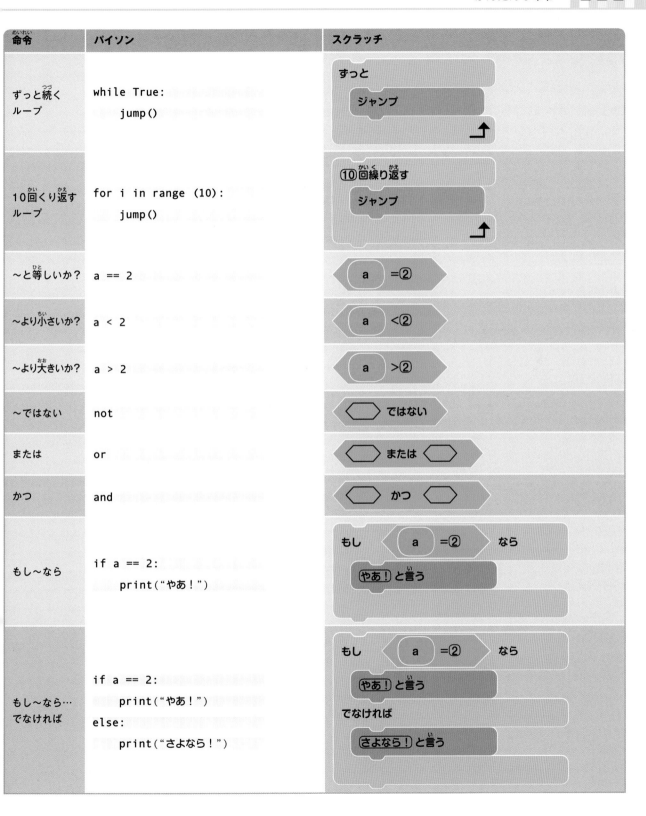

命令	パイソン	スクラッチ

ずっと続く
ループ
	`while True:`
	    `jump()`
		ずっと
		  ジャンプ

10回くり返す
ループ
	`for i in range (10):`
	    `jump()`
		10回繰り返す
		  ジャンプ

～と等しいか？	`a == 2`	a =②
～より小さいか？	`a < 2`	a <②
～より大きいか？	`a > 2`	a >②
～ではない	`not`	ではない
または	`or`	または
かつ	`and`	かつ

もし～なら	`if a == 2:`
	    `print("やあ！")`
		もし a =② なら
		  やあ！と言う

もし～なら…
でなければ
	`if a == 2:`
	    `print("やあ！")`
	`else:`
	    `print("さよなら！")`
		もし a =② なら
		  やあ！と言う
		でなければ
		  さよなら！と言う

ふくざつな命令

パイソンにはスクラッチと同じように、もう少しふくざつな命令もあるよ。ふくざつなループを作ったり、文字列とリストを使ったり、タートルグラフィックスで絵をかいたりできるんだ。

このページも見てみよう

❮ 86–87 パイソンはどんな言語だろう？

❮ 102–103 かんたんな命令

命令	パイソン	スクラッチ
条件つきのループ	`while roll != 6:` `    jump()`	roll ＝⑥ まで繰り返す／ジャンプ
待つ	`from time import sleep` `sleep(2)`	②秒待つ
乱数を作る	`from random import randint` `roll = randint(1, 6)`	roll▼を ①から⑥までの乱数にする
関数やサブプログラムを作る	`def jump():` `    print("ジャンプ！")`	定義 ジャンプ／ジャンプ！と考える
関数やサブプログラムを使う	`jump()`	ジャンプ
入力のある関数やサブプログラムを作る	`def greet(who):` `    print("やあ" + who)`	定義 greet who／やあと who と言う
関数やサブプログラムを使う	`greet("にわとりさん")`	greet にわとりさん

命令	パイソン	スクラッチ

タートル
グラフィックス
	`from turtle import *`
	`clear()`
	`pendown()`
	`forward(100)`
	`right(90)`
	`penup()`
		消す
		ペンを下ろす
		⟨100⟩歩動かす
		⟨90⟩度回す
		ペンを上げる

文字列をつなげる	`print(greeting + name)`	⟨greeting⟩ と ⟨name⟩ と言う
文字列から 1文字取り出す	`name[0]`	⟨name⟩ の①番目の文字
文字列の長さ	`len(name)`	⟨name⟩ の長さ
空のリストを 作る	`menu = list()`	リストを作る
リストの最後に 1つ追加する	`menu.append(thing)`	⟨thing⟩ を menu▼ に追加する
リストの中身を 数える	`len(menu)`	menu▼ の長さ
リストの中身の 5番目	`menu[4]`	menu▼ の⑤番目 と言う
リストの中身の 2番目を取り去る	`del menu[1]`	menu▼ の②番目を削除する
リストの中に あるか調べる	`if "オリーブ" in menu:` 　　`print("えー!")`	もし menu▼ に オリーブ が含まれる なら 　えー！ と言う

どっちのウィンドウ？

IDLEで表示されるウィンドウは2種類あるね。コード・ウィンドウはプログラムを書いたりセーブしたりするのに使えるよ。シェル・ウィンドウではパイソンの命令をすぐに実行できるんだ。

このページも見てみよう

‹ 92-93　IDLE について

‹ 96-97　ゆうれいゲーム

コード・ウィンドウ

この本では、コード・ウィンドウはプログラムを書くために使っているよ。プログラムのソースコードを入力し、セーブし、実行するんだ。出力はシェル・ウィンドウのほうに表示されるよ。

▼ **プログラムを実行する**

パイソンのプログラムを実行するときの流れだよ。プログラムを実行する前に、必ずセーブするんだ。

| ソースコードの入力 | ➡ | セーブ | ➡ | 実行（メニューのRun module） | ➡ | 出力 |

1 **コード・ウィンドウでプログラムを書く**

次のコードをコード・ウィンドウで入力しよう。セーブしてから「Run」メニューの「Run module」でプログラムを実行しよう。

```
a = 10
b = 4
print(a + b)
print(a - b)
```

変数「a」に10をセットする

変数「b」に4をセットする

「print」命令で計算結果を表示するよ

2 **シェル・ウィンドウでの出力**

プログラムを動かすと、出力（プログラムが処理や計算をした結果）がシェル・ウィンドウに表示されるよ。

```
>>>
14
6
```

計算した答えがシェル・ウィンドウに表示される

シェル・ウィンドウ

パイソンはシェル・ウィンドウに入力した命令も同じように処理してくれるよ。入力するとすぐに実行して結果を表示するぞ。

```
>>> a = 10
>>> b = 4
>>> a + b
14
>>> a - b
6
```

最初の2つの命令では変数「a」と「b」に数をセットしただけだ

計算の結果がすぐに出力されるよ

◀ **ソースコードと出力**

シェル・ウィンドウではコードと出力が両方とも表示される。シェル・ウィンドウだと、どの計算の結果がどうなったのかがわかりやすいね。

▲ **アイデアを試そう**

シェル・ウィンドウはすぐに結果を見せてくれるので、命令がどのような働きをするのか実験するのにぴったりだね。

パイソンの遊び場

シェル・ウィンドウではいろんな命令を試せる。線も引けるよ。スクラッチのペンと同じように、タートル (turtle) を使って画面に線を引けるんだ。

```
>>> from turtle import *
>>> forward(100)
>>> right(120)
>>> forward(100)
```

タートルを前に進めるよ

◀ 命令する

左のソースコードをシェル・ウィンドウに入力しよう。新しい画面が表示されて、タートルが動くと線ができるぞ。

◀ タートルグラフィックス

四角形や三角形など、他の図形をかくにはどうすればいいか考えてみよう。もう一度やり直すには、シェル・ウィンドウで「clear()」と入力するんだ。

どっちのウィンドウを使えばいいの？

コード・ウィンドウとシェル・ウィンドウのどちらを使えばいいのだろう。それは、どのようなプログラムを書くのか、そして、くり返して実行するプログラムなのかによるんだ。

■■■ うまくなるヒント

ソースコードにつく色

ソースコードを入力すると、文字に色がつくね。この色はパイソンがその部分を何と思っているかを表しているんだ。

■ ◀ **関数**
「print」のようにパイソンがはじめから知っている命令のことだ。

■ ◀ **文字列**
クォーテーションで囲まれた文字列は緑になるよ。

■ ◀ **記号と名前**
黒い字になる部分は多いよ。

■ ◀ **出力**
シェル・ウィンドウには出力が青い文字で表示されるよ。

■ ◀ **キーワード**
「if」や「else」のような重要なことばはオレンジになるね。

■ ◀ **エラー**
シェル・ウィンドウではエラーメッセージは赤くなるぞ。

▶ コード・ウィンドウ

ソースコードが長くなる場合には、セーブして書き直せるコード・ウィンドウがぴったりだ。同じことをもう一度やりたい場合や、にたようなプログラムを試すときには、前に書いたものを手直しする方が楽だ。ただし1回ごとにセーブと実行をくり返す必要があるよ。

コードVSシェル

◀ シェル・ウィンドウ

命令がどのような働きをするのか調べるような、手軽な実験をしたいならシェル・ウィンドウがぴったりだね。だけど命令をセーブすることはできないので、何かくり返し行いたいときは、コード・ウィンドウを使うことを考えよう。

パイソンの変数

プログラムの中で情報を入れておくのに変数を使う。変数というのは、データを入れておける箱のようなものだよ。この箱には、その変数の名前を書いたラベルもはっておけるぞ。

このページも見てみよう

データ型	110–111 ▶
パイソンの計算	112–113 ▶
パイソンの文字列	114–115 ▶
入力と出力	116–117 ▶
関数	130–131 ▶

変数を作る

数や文字列を変数に入れることを「セットする」というよ。「＝」の記号を使ってセットできるぞ。次のソースコードをシェル・ウィンドウに入力して試してみよう。

変数名だよ　　　　　　変数にセットする数だ

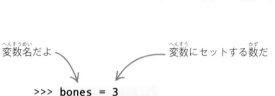

```
>>> bones = 3
```

▲**数をセットする**

数をセットするには変数の名前、イコールの記号（＝）、数の順に書けばいいんだ。

変数名だよ　　　　　　セットする文字列

```
>>> dogs_name = "ブルーノ"
```

▲**文字列をセットする**

文字列をセットするには変数の名前、イコールの記号、ダブルクォーテーションで囲んだ文字列の順に書こう。

変数を出力する

「print」命令は画面に何かを表示する命令だよ。print（プリント）という命令だけどプリンターとは関係ないぞ。この命令を使えば変数の中身を表示できるよ。

```
>>> print(bones)
3
```
変数名

▲**数の出力**

変数「bones」には3という数がセットされているよ。だからシェル・ウィンドウには3が表示されたね。

おぼえておこう

スクラッチの変数

変数に数や文字列をセットするとき、スクラッチだと下のブロックを使う。でもパイソンでは「変数を作る」のボタンはクリックしなくていいんだ。何かを変数にセットしたときに名前をつければ、パイソンが変数を作ってくれるよ。

変数にセットするときのスクラッチのブロック

```
>>> print(dogs_name)
ブルーノ
```
クォーテーションはないよ

▲**文字列の出力**

変数「dogs_name」には文字列がセットされているので、画面にはその文字列が表示されたよ。表示されるときには、クォーテーションはなくなるよ。

変数の中身を変える

新しい数や文字列をセットするだけで、変数の中身を変えられるよ。右の例では、最初は「gifts」に2がセットされているね。新しく3をセットすると「gifts」の中身は3に変わるんだ。

```
>>> gifts = 2
>>> print(gifts)
2
>>> gifts = 3
>>> print(gifts)
3
```

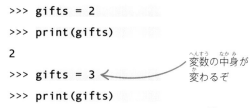

変数の中身が変わるぞ

変数を使う

イコールの記号（＝）を使えば、ある変数の中身を他の変数にセットできるよ。例えば変数「rabbits」（ウサギという意味の英語だよ）にウサギの数がセットされているとする。この「rabbits」と同じ数を変数「hats」（ぼうしという意味だ）にもセットしてみよう。これでウサギと同じ数のぼうしを用意できたよ。

1 変数にセットする

下のソースコードでは、変数「rabbits」に5をセットしているよ。それから同じ数を「hats」にもセットしているね。

変数名

変数にセットされた数

```
>>> rabbits = 5
>>> hats = rabbits
```
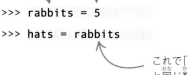

これで「hats」には「rabbits」と同じ数がセットされたぞ

■ ■ ■ **うまくなるヒント**

変数に名前をつける

変数に名前をつけるときに、いくつかのルールがあるよ。

- すべての英数字が使えるよ。
- 最初の文字に数字は使えない。
- -, /, #, @などの記号は使えない。
- スペースの代わりにアンダーバー（＿）なら使えるよ。
- 大文字と小文字は区別されるよ。パイソンは「Dogs」と「dogs」は別の変数だと考えるんだ。
- 「print」のようにパイソンで使っている命令の名は使わないようにしよう。

2 中身を表示する

2つの変数の中身を表示するには「print」命令のうしろのかっこの中に2つの変数名を入れればいい。変数名と変数名の間にはカンマを入れるんだ。「rabbits」と「hats」にはどちらも5がセットされているよ。

```
>>> print(rabbits, hats)
5 5
```

カンマのうしろにはスペースを入れよう

3 「rabbits」の中身を変える

変数「rabbits」の中身を変えたとしても、「hats」の中身までは変わらないよ。「hats」の中身は「hats」に新しい数や文字列をセットしたときだけ変わるんだ。

```
>>> rabbits = 10
>>> print(rabbits, hats)
10 5
```
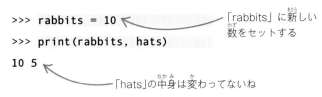

「rabbits」に新しい数をセットする

「hats」の中身は変わってないね

データ型

パイソンではデータをいくつかの型にわけて考えているよ。たいていの場合、どの型のデータを使うかはパイソンが決めてくれる。でも、君が自分でデータ型を変えなければならないときもあるよ。

このページも見てみよう

パイソンの計算	**112–113 ❯**
パイソンの文字列	**114–115 ❯**
判断する	**118–119 ❯**
リスト	**128–129 ❯**

数

パイソンでは2種類の数を使えるよ。数字だけで小数点がない「整数」と、小数点がある「小数」だ。整数は羊を数えるのに使い、小数は「重さ」みたいに何かを計るときに使うよ。

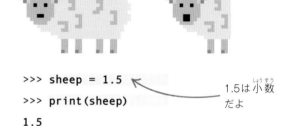

```
>>> sheep = 1
>>> print(sheep)
1
```

整数は数字だけで書かれるぞ

```
>>> sheep = 1.5
>>> print(sheep)
1.5
```

1.5は小数だよ

▲整数

整数には小数点はないよ。変数の「sheep」（羊という意味だよ）に入っている1は整数だ。

▲小数

小数は数字と小数点で書かれているよ。わけられないものを数えるときは使わないんだ。羊が1.5ひきというのはおかしいよね。

文字列

スクラッチと同じように、パイソンでも文字の並びを「文字列」というよ。文字列にはアルファベット、数字、スペース、記号（ピリオドやカンマ）を入れられるよ。全角の漢字やひらがなもだいじょうぶだ。文字列はふつうはダブルクォーテーションで囲むよ。

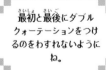

最初と最後にダブルクォーテーションをつけるのをわすれないようにね。

▶文字列を使う

ダブルクォーテーションで囲んだ文字列を変数にセットしているよ。

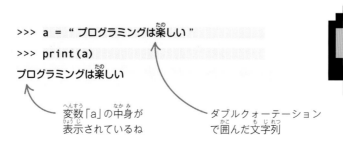

```
>>> a = "プログラミングは楽しい"
>>> print(a)
プログラミングは楽しい
```

変数「a」の中身が表示されているね

ダブルクォーテーションで囲んだ文字列

真偽値

パイソンのデータにはTrue（正しい）かFalse（まちがい）のどちらかになる真偽値という型があるよ。先頭のTとFは必ず大文字にしよう。

▶**True**

「True」が変数にセットされると、真偽値としてあつかわれるよ。

ダブルクォーテーションはないね

```
>>> a = True
>>> print(a)
True
```

真偽値が表示されているよ

▶**False**

「False」が変数にセットされても、真偽値としてあつかわれるよ。

```
>>> a = False
>>> print(a)
False
```

真偽値が表示されているよ

■ ■ **うまくなるヒント**

データ型を調べる

パイソンではデータ型がとても多いんだ。あるデータがどの型なのかを調べるには「type」命令を使おう。

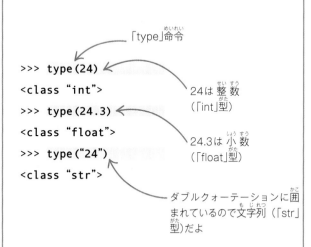

「type」命令

```
>>> type(24)
<class "int">
>>> type(24.3)
<class "float">
>>> type("24")
<class "str">
```

24は整数（「int」型）

24.3は小数（「float」型）

ダブルクォーテーションに囲まれているので文字列（「str」型）だよ

データ型を変える

変数にはどの型のデータでもセットできるよ。でも型をまぜて使おうとするとこまったことになるぞ。データ型を変えてから使わないと、エラーメッセージが表示されることがあるよ。

ダブルクォーテーションの中の文字列が画面に表示されるよ

▶**型がまざっている場合**

「input」命令は、数が入力されても必ず文字列としてあつかうんだ。右の例では、変数「apple」に実際に文字列がセットされているので、エラーメッセージが出ているね。

変数名

```
>>> apple = input("apple に数を入れてください")
apple に数を入れてください2
>>> print(apple + 1)
TypeError
```

変数「apple」に1を足そうとしているんだ

パイソンからエラーメッセージが送られてきたよ。文字列には数を足せないからだ

▶**データ型を変える**

文字列を数に変えてしまおう。そのために「int()」という命令を使うよ。

```
>>> print(int(apple) + 1)
3
```

今度はプログラムが正しく動いて結果が表示されたね

変数を文字列型から整数型に変えたので、足し算ができるようになったね

パイソンの計算

パイソンはいろいろな計算をするのに使えるよ。もちろん足し算、引き算、かけ算、わり算もできるよ。計算をするときは、答えを入れるのに変数を使えるぞ。

このページも見てみよう

‹ 52–53　　　　　　　計算

パイソンの　　　　108–109 ›
変数

かんたんな計算

パイソンでは、かんたんな計算ならシェル・ウィンドウに入力するだけですむよ。「print()」命令はいらないよ。パイソンがすぐに答えを表示してくれるからね。下の例をシェル・ウィンドウで試してみよう。

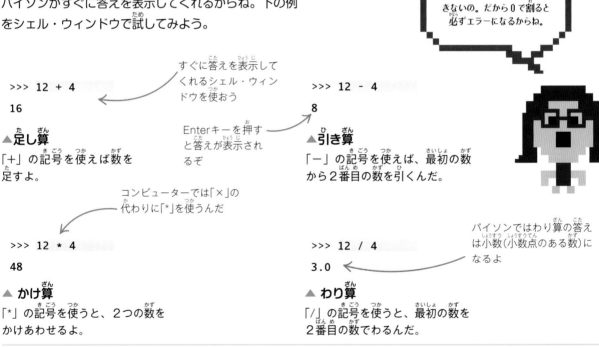

わり算では0でわることはできないの。だから0で割ると必ずエラーになるからね。

すぐに答えを表示してくれるシェル・ウィンドウを使おう

```
>>> 12 + 4
16
```

▲足し算
「+」の記号を使えば数を足すよ。

Enterキーを押すと答えが表示されるぞ

```
>>> 12 - 4
8
```

▲引き算
「−」の記号を使えば、最初の数から2番目の数を引くんだ。

コンピューターでは「×」の代わりに「*」を使うんだ

```
>>> 12 * 4
48
```

▲ かけ算
「*」の記号を使うと、2つの数をかけあわせるよ。

パイソンではわり算の答えは小数（小数点のある数）になるよ

```
>>> 12 / 4
3.0
```

▲ わり算
「/」の記号を使うと、最初の数を2番目の数でわるんだ。

「かっこ」を使う

かっこを使えば、パイソンにどの部分を先に計算するのかを教えられるよ。パイソンはかっこで囲んだ計算を先にすませ、それから残りの部分を計算するんだ。

まず6+5＝11を計算して、それから11に3をかけるよ

```
>>> (6 + 5) * 3
33
```

▲ 足し算を先にする
この計算では、かっこはパイソンに足し算を先にするよう指示しているね。

まず5×3＝15を計算して、それから15に6を足すよ

```
>>> 6 + (5 * 3)
21
```

ちがう答えが出た

▲ かけ算を先にする
こちらのかっこはかけ算を先にするよう指示しているよ。

答えを変数にセットする

変数に数がセットされている場合、この変数を計算に使えるよ。変数に計算の結果をセットするようになっていると、計算結果は変数に入ってしまい、そのままでは表示されないよ。

2 変数の中の数を変える

変数「ants」と「spiders」の中の数を変えてみよう。そしてもう一度2つの変数で足し算をして、答えを変数「bugs」にセットするんだ。

```
>>> ants = 22
>>> spiders = 18
>>> bugs = ants + spiders
>>> print(bugs)
40
```

「spiders」にセットする数を変えるよ

また2つの変数を足そう

答えが変わっているね

---

1 かんたんな足し算

変数「ants」（アリという意味）と「spiders」（クモ）で計算して、答えを「bugs」にセットするよ。

```
>>> ants = 22
>>> spiders = 35
>>> bugs = ants + spiders
>>> print(bugs)
57
```

2つの変数の中の数を足すんだ

「bugs」の値を表示するよ

3 答えをセットしない

計算の結果を変数「bugs」にセットしないと、「ants」と「spiders」の中の数を変えても「bugs」の中の数は変わらないよ。

```
>>> ants = 11
>>> spiders = 17
>>> print(bugs)
40
```

「bugs」の中の数を表示させるよ

中の数は18+22の答えのままだね

乱数

乱数を作るには、まず「randint」というパイソンの関数（130ページを見てね）をよび出さなければならないんだ。よび出すには「import」命令を使うよ。「randint ()」関数は整数（小数点がない数）の乱数を作るようにプログラムされているんだ。

「randint」関数をよび出しているよ

```
>>> from random import randint
>>> randint(1, 6)
3
```

1から6の間の乱数を作るよ

ランダムに選ばれた数は3だったね

▲ サイコロをふる

「randint()」関数は、かっこの中に書かれた2つの数の間の整数を1つランダムに決めることで乱数を作るんだ。サイコロのように1から6までの間の数字が1つ出てくるよ。

● おぼえておこう

乱数を作るブロック

「randint()」関数はスクラッチの「～から～までの乱数」ブロックと同じような働きをするよ。スクラッチでは作りたい乱数の範囲の一番小さい数と大きい数を入力したね。パイソンではかっこの中にカンマでわけて入力するよ。

①から⑥までの乱数

▲整数

パイソンの「randint()」関数もスクラッチの「～から～までの乱数」ブロックも必ず整数をランダムに選ぶよ。

パイソンの文字列

パイソンはことばや文をあつかうのが得意なプログラミング言語なんだ。文字列（文字の並び）をつなげることもできるし、文字列の一部分を選んでぬき出すこともできるよ。

このページも見てみよう

〈 54-55　文字列とリスト

〈 110-111　データ型

文字列を作る

文字列にはアルファベット、数字、記号、スペースなどを入れられるよ。文字列は変数にセットできるぞ。

▶変数の中の文字列

右の2つのソースコードを入力して、変数「a」と「b」に文字列をセットしよう。

```
>>> a = "逃げろ！"

>>> b = "エイリアンが来るぞ。"
```

文字列をつなげる

2つの数を足すとちがう数になるね。同じように2つの文字列を足すと……文字列がそのままつながったよ。

```
>>> c = a + b

>>> print(c)
逃げろ！ エイリアンが来るぞ。
```

変数「a」と「b」をつないだものが、変数「c」の中身だ

▲文字列をつなげる

「+」の記号は2つの文字列をつなげるよ。答えは変数「c」にセットされているね。

```
>>> c = b + "気をつけろ！" + a

>>> print(c)
エイリアンが来るぞ。気をつけろ！ 逃げろ！
```

▲別の文字列を間に入れる

新しい文字列を2つの文字列の間に入れることもできるぞ。

新しい文字列が変数「c」に加えられたよ

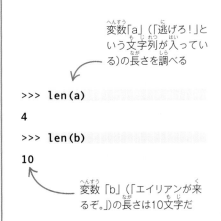

■ ■ ■　**うまくなるヒント**

文字列の長さ

「len()」関数は文字列の長さを調べるのに使うんだ。スペースもふくめた文字全部の数を数えてくれるよ。

変数「a」（「逃げろ！」という文字列が入っている）の長さを調べる

```
>>> len(a)
4

>>> len(b)
10
```

変数「b」（「エイリアンが来るぞ。」）の長さは10文字だ

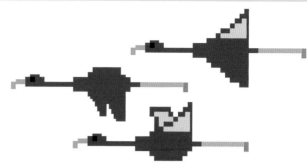

文字の番号

文字列の中の文字には、前から何番目という番号がふられているんだ。この番号を利用すれば、1つ1つの文字を調べたり、文字列から取り出したりできるよ。

1 0から数え始める

先頭から順に番号をつけるとき、パイソンは最初の文字を0番にするんだ。そして2文字目は1番、3文字目には2番というように番号をふっていくよ。

```
>>> a = "FLAMINGO"
```

6文字目の「N」は
5番になる

1文字目の「F」は0番だよ

最後の「O」は
7番だね

2 何番目か数える

文字にふられた番号を「インデックス値」というよ。文字列から特定の1文字をぬき出すのに使えるよ。

```
>>> a[3]
"M"
```

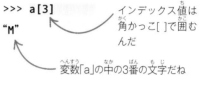

インデックス値は
角かっこ[ ]で囲むんだ

変数「a」の中の3番の文字だね

3 切りとる

2つのインデックス値を使って文字列の一部を切りとれるよ。ただし、指定された範囲の最後の位置にある文字はふくまれないので注意しよう。

```
>>> a[1:7]
"LAMING"
```

範囲を指定するときはコロンを間に入れるよ

変数「a」の中のインデックス値が1から6の文字が出た

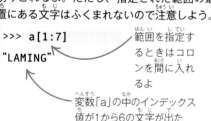

4 文字列の最初と最後

範囲を指定するとき、2つのインデックス値のどちらかを省くと、自動的に文字列の最初か最後までの文字を入れてくれるよ。

```
>>> a[:3]
"FLA"
```

インデックス値が0の文字から始まっているね

```
>>> a[3:]
"MINGO"
```

インデックス値が7の文字で終わっているね

アポストロフィー

シングルクォーテーションもダブルクォーテーションも文字列を囲むのに使えるんだ。ただし、同じ種類のクォーテーションで囲まなければならないよ。この本ではダブルクォーテーションを使っている。では、文字列の中でクォーテーションやアポストロフィーを使いたいときはどうしたらいいのだろう？

```
>>> print("It\'s a cloudy day.")
It's a cloudy day.
```

文字列の中にちゃんとアポストロフィーが入っているね

▲パイソンに区別させる

パイソンが文字列の終わりだとかんちがいしないように「\」をクォーテーションやアポストロフィーの前に入れよう。

入力と出力

プログラムは入力と出力を通して、ユーザーとの間で情報をやりとりするよ。ユーザーはキーボードを使って情報を入力できる。出力は画面に表示されるんだ。

このページも見てみよう

◀ 100-101　プログラムの流れ

◀ 110-111　データ型

パイソンでの　　122-123 ▶
くり返し

入力

「input ()」関数を使って、キーボードからの入力を受けとるんだ。この関数はユーザーがキーボードからの入力を終えてEnterキーを押すまで待っているよ。

「input()」関数のおかげでユーザーはキーボードを使ってプログラムと対話できるんだ

1 「input( )」関数を使う

「input()」関数のかっこの中にユーザーへのメッセージを入れてみよう。

コロンのうしろにスペースを入れると出力が見やすくなるよ

```
name = input ("名前を入力してね: ")
print("こんにちは", name)
```

ユーザーが入力した名前によって出力が変わるよ

2 シェル・ウィンドウでの出力

プログラムを実行すると「名前を入力してね:」というメッセージが表示されるよ。

名前を入力してね：ジーナ

こんにちは ジーナ

プログラムがメッセージを出力するよ　　ユーザーが名前を入力するよ

出力

「print ()」関数はシェル・ウィンドウに文字を表示するのに使うよ。決まった文章と変数を組み合わせて表示することもできるんだ。

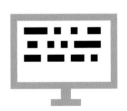

1 変数を作る

かんたんな実験のために変数を3つ作ろう。2つの変数には文字列をセットして、残りの1つには整数をセットするよ。

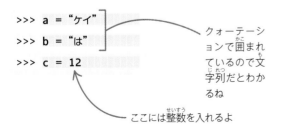

```
>>> a = "ケイ"
>>> b = "は"
>>> c = 12
```

クォーテーションで囲まれているので文字列だとわかるね

ここには整数を入れるよ

2 「print()」関数を使う

「print()」関数のかっこの中には、文字や変数をいくつか入れられるよ。型のちがう変数を組み合わせたり、文字列と変数を組み合わせることもできるんだ。

```
>>> print(a, b, c)
ケイ は 12
>>> print("さようなら", a)
さようなら ケイ
```

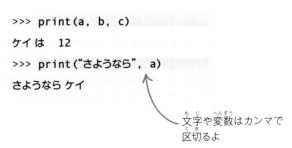

文字や変数はカンマで区切るよ

文字列を区切る2つの方法

今までは1行の出力に全部表示していたね。ここでは文字列を区切って表示する方法を2つ紹介するよ。

```
>>> print(a, b, c, sep="-")
```
ケイ- は-12

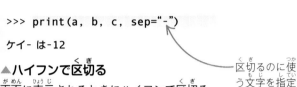

▲ **ハイフンで区切る**

画面に表示されるときにハイフンで区切ることができる。「+」や「*」といった他の記号でも区切れるぞ。

区切るのに使う文字を指定しているよ

```
>>> print(a, b, c, sep="\n")
```
ケイ

は

12

変数ごとに行が変わっているね

▲ **行を変えて出力する**

区切るために使うスペースや文字をセパレーター（ソースコードでは「sep」と書く）とよぶんだ。「\n」だと改行するよ。

出力の3つの終わり方

「print」関数の出力では、メッセージの終わらせ方にいくつかのやり方があるんだ。

```
>>> print(a, "。")
```
ケイ 。

「。」を1つの文字列として加えているよ

```
>>> print(a, end="。")
```
ケイ。

「end」文字としてパイソンに指示しているよ

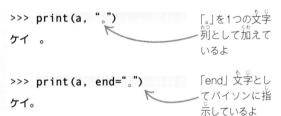

▲ **出力に句点を足す**

句点「。」をつけ加えてみよう。文字列として加えると「。」の前に間があいてしまう。「end="。"」と書けば、スペースは入らないぞ。

printを3回くり返すよ

スペースを「end」文字にしているね

```
>>> for n in range(3):
        print("バンザイ!", end="")
```
バンザイ! バンザイ! バンザイ!

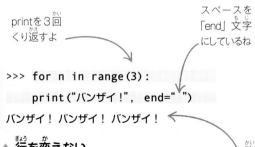

改行せずに1行で表示されるよ

▲ **行を変えない**

改行せずに新しい「print」命令を実行したいときは、スペースを「end」文字に指定しよう。

■ ■ ■　**うまくなるヒント**

メッセージの終わらせ方

「end」と「sep」はこの2つの次に続く文字列が、ただの文字列ではないことを教えているんだ。この2つを使い忘れると、プログラムは思った通りには動かないよ。

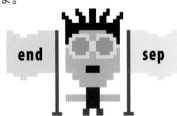

```
>>> print(a, end="\n\n\n\n")
```
ケイ

何もない行が出力されるぞ

1つの「\n」ごとに新しい行にうつるよ

```
>>>
```

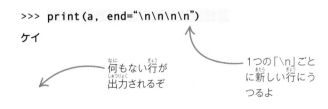

▲ **何もない行を加える**

「\n」を使うと、出力するたびに新しい行になる。この記号を続けて使うと、何もない行を好きなだけつけ加えられるよ。

判断する

プログラムは変数、数、文字列をくらべる論理式を計算して、その結果で何をするか決めるよ。論理式の答えは「True」（正しい）か「False」（まちがい）のどちらかになるんだ。

このページも見てみよう

❮ 62-63　正しい？まちがい？

❮ 108-109　パイソンの変数

くらべるための記号（論理演算子）

下の記号は、変数を数や文字列とくらべるためのものだよ。こうした記号を使えば変数同士をくらべることもできるんだ。結果は「True」か「False」になるぞ。

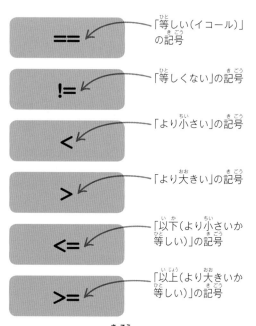

==　「等しい（イコール）」の記号

!=　「等しくない」の記号

<　「より小さい」の記号

>　「より大きい」の記号

<=　「以下（より小さいか等しい）」の記号

>=　「以上（より大きいか等しい）」の記号

▲ **くらべるための記号**

くらべるための記号は6種類あるよ。2つのものが同じかどうかをくらべるときには「＝」を2つ続けて書くんだ。

▶ **試してみよう**

シェル・ウィンドウで右の例を入力して実験しよう。「not」「or」「and」も使ってみよう。

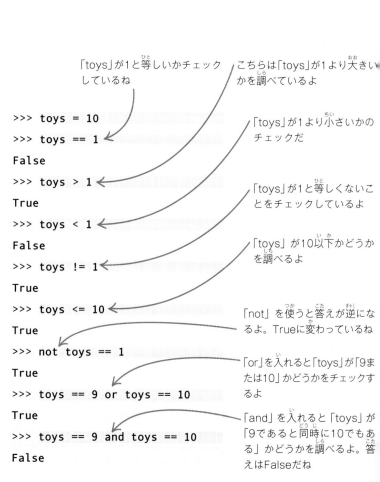

「toys」が1と等しいかチェックしているね

```
>>> toys = 10
>>> toys == 1
False
>>> toys > 1
True
>>> toys < 1
False
>>> toys != 1
True
>>> toys <= 10
True
>>> not toys == 1
True
>>> toys == 9 or toys == 10
True
>>> toys == 9 and toys == 10
False
```

こちらは「toys」が1より大きいかを調べているよ

「toys」が1より小さいかのチェックだ

「toys」が1と等しくないことをチェックしているよ

「toys」が10以下かどうかを調べるよ

「not」を使うと答えが逆になるよ。Trueに変わっているね

「or」を入れると「toys」が「9または10」かどうかをチェックするよ

「and」を入れると「toys」が「9であると同時に10でもある」かどうかを調べるよ。答えはFalseだね

エリのたんじょう日？

エリのたんじょう日は7月28日だ。このプログラムは日付と「くらべる記号」を使って、ある日がエリのたんじょう日かどうかをチェックするよ。

1 たんじょう日のチェック

たんじょう日の月と日を記録する変数を作るよ。それから「and」を使って、セットした数が正しいかをチェックしよう。

```
>>> day = 28
>>> month = 7
>>> day == 28 and month == 7
True
```

「and」を入れて、月と日の両方がエリのたんじょう日と同じか調べるよ

Trueだからエリのたんじょう日だ！

2 たんじょう日でないことをチェック

「not」をつけることで答えのTrueとFalseを入れかえられるよ。エリのたんじょう日でない日は、毎日Trueになるね。

```
>>> day = 28
>>> month = 7
>>> not (day == 28 and \
    month == 7)
False
```

この記号を入れると、ソースコードを2行にわたって書けるんだ。

エリのたんじょう日だからFalseになるよ

3 たんじょう日か元日か？

「or」を使えば、たんじょう日か元日だったらTrueになるようにできるぞ。調べたい日付ごとにかっこで囲もう。

```
>>> day = 28
>>> month = 7
>>> (day == 28 and month == 7) \
    or (day == 1 and month == 1)
True
```

7月28日かをチェックするよ

たんじょう日か元日だったらTrueになる

文字列

「==」と「!=」を使って文字列をくらべられるよ。くらべた結果がTrueになるには、2つの文字列はまったく同じでなければならないんだ。

```
>>> dog = "ワンワン"
>>> dog == "ワンワン"
True
>>> dog == "ﾜﾝﾜﾝ"
False
>>> dog == "ワンワン "
False
```

2つの文字列が同じなのでTrueだね

最初の1文字が半角なので同じではないね

文字列の最後に半角スペースが入っているので同じではないよ

▲ まったく同じ

文字列はまったく同じでないとTrueにならないよ。大文字小文字も全半角もしっかり区別されるから注意しよう。スペースも全角と半角ではちがうものになるよ。

■　■　■　**うまくなるヒント**

文字列を調べる

「in」を使うと、ある文字列が別の文字列の中に入っているかを調べられるよ。特定の文字や文字列が、文章の中に出てくるかを調べるのに使おう。

文字列「abc」の中に「a」が入っているかを調べるよ

```
>>> "a" in "abc"
True
>>> "d" in "abc"
False
```

「d」は「abc」の中にないので答えはFalseだ

分岐

論理式はプログラムがいくつかある流れのどれに進むかを決めるのに使えるよ。論理式の答えがTrueかFalseかで決めるんだ。これを「分岐」というよ。

このページも見てみよう

❬ 64–65　　条件と分岐

❬ 118–119　　判断する

処理をするかどうか決める

「if」命令を使うと、答えがTrueなら、すぐうしろに書かれた命令を実行するんだ。もしTrueでないなら、すぐうしろの命令は実行されず無視される。「if」のあとにはいくつも命令を書けるけど、半角スペースを4つ入れて字下げするのをわすれないようにしよう。

1 「if」の条件
右のソースコードは、ユーザーに今日がたんじょう日かたずねるんだ。もしユーザーの答えが「y」（イエスという意味）ならお祝いのメッセージが表示されるよ。

```
ans = input("今日はたんじょう日？（y/n）")
if ans == "y":
    print("たんじょう日おめでとう!")
```

この部分はユーザーが「y」と入力したときだけ実行されるよ

4文字字下げされているね

2 条件がTrueのとき
「y」を入力すると、右のメッセージが表示されるよ。他の文字を入力しても何も起きないぞ。

「y」と入力する

今日はたんじょう日？（y/n）y
たんじょう日おめでとう!

メッセージが表示される

2つの処理のうち1つを選ぶ

「if」命令を「else」と組み合わせて使おう。何かを調べてTrueならばこちら、そうでなければこちら、というようにどちらの処理をするか選べるようになるよ。

1 「if-else」の条件
「y」が入力されたらお祝いのことばを表示するようにしよう。ちがう文字が入力されたときには他のメッセージを表示するよ。ソースコードはコード・ウィンドウに入力しよう。

```
ans = input("今日は元日？（y/n）")
if ans == "y":
    print("新年おめでとう!")
    print("さあ花火を打ち上げよう。")
else:
    print("まだだね。")
```

コロンをわすれないでね

ここにもコロンをわすれないようにしよう

このメッセージはユーザーが「y」を入力したときだけ表示されるよ

ユーザーが「y」以外を入力したときだけ表示されるよ

2 条件がTrueのとき

「y」を入力すると、新年のお祝いのメッセージが表示されるよ。他のメッセージは表示されないね。

> 今日は元日？ （y/n）y
> 新年おめでとう！
> さあ花火を打ち上げよう。

「y」と入力する

3 「else」の場合の出力

「n」や他の文字を入力すると、代わりに「まだだね。」というメッセージが出てくるぞ。

「n」と入力しているよ

> 今日は元日？ （y/n）n
> まだだね。

ちがうメッセージが
表示されたね

いくつかの処理のうち1つを選ぶ

「elif」という命令があるよ。「else-if」を短く書いたんだね。条件と命令の組をいくつか並べておいて条件を1つずつチェックし、最初にTrueになった組の命令だけを実行するんだ。次の例は「elif」命令を使った計算機のプログラムだよ。

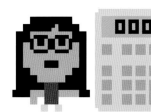

1 「if-elif-else」の並び方

このプログラムでは、どの文字列が入力されたかチェックしているよ。もし「たす」「ひく」「かける」「わる」だったら、それぞれの計算をして答えを出力するんだ。

ユーザーに数を入力
してもらうよ

ダブルクォーテーションとかっこをわすれないようにね

```
a = int(input("a = "))
b = int(input("b = "))
op = input("たす / ひく / かける / わる:")
if op == "たす":
    c = a + b
elif op == "ひく":
    c = a - b
elif op == "かける":
    c = a * b
elif op == "わる":
    c = a / b
else:
    c = "エラー"
print("答え = ",c)
```

「たす」を入力
すると足し算
をするよ

「わる」を
入力する
とわり算
をするよ

決められた文字列以外を
入力すると、変数「c」に
エラーがセットされる

答えかエラーを表示するよ

2 条件がTrueのとき

プログラムを試してみよう。2つの数を入力したあとに「ひく」を入力するよ。答えは最初の数から次の数を引いた数になるね。

> a = 7
> b = 5
> たす / ひく / かける / わる：ひく
> 答え = 2

2つの数を入力するよ

「ひく」と入力して7-5を計算させるよ

変数「a」の値から変数「b」の
値を引いた数が答えだね

3 「else」の場合の出力

「たす」「ひく」「かける」「わる」以外の入力があった場合だけ、「else」のあとの命令が実行されて、エラーメッセージが表示されるよ。

> a = 7
> b = 5
> たす / ひく / かける / わる：すすむ
> 答え = エラー

何かちがうことを
入力してみよう

エラーメッセージ
が表示されたね

パイソンでのくり返し

ソースコードにくり返しの部分があるプログラムは、コードの入力に時間がかかったり、読みにくくなってしまうんだ。くり返し（ループ）の命令を使うと、ソースコードをわかりやすく書けるよ。

このページも見てみよう

〈 48–49　　ペンとカメ

条件つきのくり返し 124–125 〉

くり返しから 126–127 〉
ぬけ出す

くり返し

「for」ループを使えば、同じソースコードを何回も入力しなくても、ソースコードの一部をくり返し実行してくれるよ。クラスメイトの名前を1人ずつ表示するような、何かを決められた回数くり返すのに使えるね。

1 タートルグラフィックスのプログラム

「for」ループを1つ使うだけで、ソースコードを短くできるよ。右のソースコードは、タートル（カメ）を動かして画面に線を引くんだ。カメの進む向きを変えてあげれば、三角形などの図形をかけるよ。

```
from turtle import *
forward(100)
right(120)
forward(100)
right(120)
forward(100)
right(120)
```

この行でタートルをコントロールする命令をすべて読みこむんだ

この命令はタートルに進めるものだ

タートルを右に120度回転させるよ

2 タートルが三角形をかく

タートルに三角形の3つの辺の長さと角の大きさを伝えて、三角形をどのようにかけばいいかを教えよう。プログラムを動かすと、新しいウィンドウが表示されてタートルが動くよ。

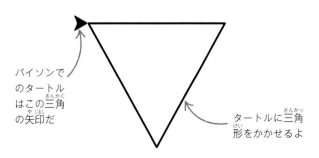

パイソンでのタートルはこの三角の矢印だ

タートルに三角形をかかせるよ

3 「for」ループを使う

上のソースコードでは同じ命令をくり返し出しているね。「forward(100)」と「right(120)」だ。この2つの命令が3回出されて、三角形の1つの辺をかいているんだ。この2つの命令を「for」ループの中に入れてみよう。下のようにすっきりしたソースコードができるよ。

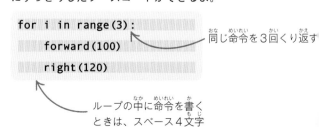

```
for i in range(3):
    forward(100)
    right(120)
```

同じ命令を3回くり返す

ループの中に命令を書くときは、スペース4文字の字下げをするぞ

ループ用の変数

ループ用の変数を指定してループが何回くり返されたかを数えよう。「range（〜）」を使うと、かっこの中で指定した数の1つ前までカウントしたらループは止まるんだ。

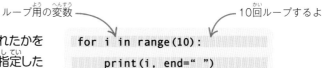
ループ用の変数　10回ループするよ

```
for i in range(10):
    print(i, end=" ")
```

>>> **0 1 2 3 4 5 6 7 8 9**

▲ かんたんな使い方

かっこの中で指定されている数は1つだけだ。このときパイソンは、指定された数はカウントを終える数だと考えて、0からカウントを始めるよ。

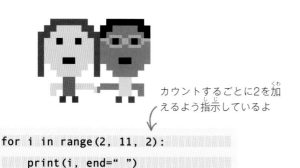

カウントするごとに2を加えるよう指示しているよ

```
for i in range(2, 11, 2):
    print(i, end=" ")
```

>>> **2 4 6 8 10**
2ずつふえた数が出力される

▲ カウントする数を2ずつふやす

かっこの中で、カウントを始める数、終わる数、カウントするごとにふやす数の3つを指定しているよ。終わる数が11なので、その手前の10で終わるんだ。

ループ用の変数から1ずつへらすよう指示しているね

```
for i in range(10, 0, -1):
    print(i, end=" ")
```

>>> **10 9 8 7 6 5 4 3 2 1**

▲ カウントする数をへらす

ロケットを打ち上げるカウントダウンのように、10から1ずつへらしているよ。ループは変数の値を10にセットして始まり、値が0の手前の1になると止まるんだ。

入れ子構造（ネスティング）のループ

ループの中にループを作るのを「入れ子ループ」というよ。入れ子ループでは内側のループが決められた回数くり返されてから、外側のループがくり返されるんだ。

ループを「n」回くり返させるには、ループが終わるときの変数の値を「n+1」にしなければならないよ

```
n = 3
for a in range(1, n + 1):
    for b in range(1, n + 1):
        print(b, "x", a, "=", b * a)
```

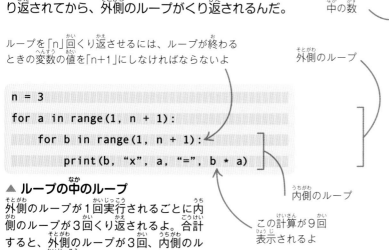

```
>>>
1 x 1 = 1    外側のループの
2 x 1 = 2    1回目
3 x 1 = 3

1 x 2 = 2    外側のループの
2 x 2 = 4    2回目
3 x 2 = 6

1 x 3 = 3    外側のループの
2 x 3 = 6    3回目
3 x 3 = 9
```

変数「a」の中の数
変数「b」の中の数
外側のループ
内側のループ

▲ ループの中のループ

外側のループが1回実行されるごとに内側のループが3回くり返される。合計すると、外側のループが3回、内側のループが9回実行されるね。

この計算が9回表示されるよ

▲ 何が起きるか

変数「a」の値は外側のループが実行されたときだけふえるよ。変数「b」は変数「a」の値が変わるごとに、1から始まって3までふえるね。

条件つきのくり返し

命令を何回くり返せばよいか決まっている場合は「for」ループが便利だね。でも、何かの条件が変わるまで、くり返さなければならないときもあるよ。「while」ループを使えば、必要なだけ命令をくり返してくれるよ。

このページも見てみよう

❮ 118-119　判断する

❮ 122-123　パイソンでのくり返し

くり返しから　126-127 ❯
ぬけ出す

条件つきでくり返す

「while」ループは、決めておいた条件が満たされている間（Trueの間）は命令をくり返すよ。この条件を「ループ条件」とよぶんだ。

1 「while」ループを作る

変数「answer」に「y」をセットしてプログラムを始めるよ。もしループ条件がtrueにならなければ、ループは決して実行されいないぞ。

▶ **しくみ**

「while」ループが条件をチェックしているよ。「はい」ならループをくり返し、「いいえ」なら別の命令に飛ぶよ。

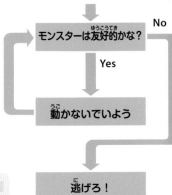

> モンスターは友好的かな？ ─ No
>
> Yes
>
> 動かないでいよう
>
> 逃げろ！

ループ内のコードはスペース4文字分、字下げするよ

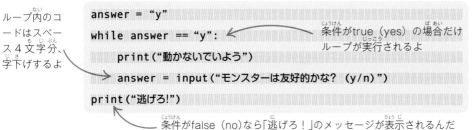

```
answer = "y"
while answer == "y":
    print("動かないでいよう")
    answer = input("モンスターは友好的かな？（y/n）")
print("逃げろ!")
```

条件がtrue（yes）の場合だけループが実行されるよ

条件がfalse（no）なら「逃げろ！」のメッセージが表示されるんだ

2 どのように表示されるか

プログラムを実行して、キーボードで「y」と入力している間は、ループをくり返し続けるよ。もし「n」を入力するとループは止まるんだ。

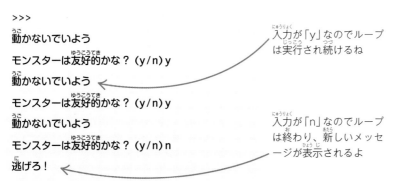

```
>>>
動かないでいよう
モンスターは友好的かな？（y/n）y
動かないでいよう
モンスターは友好的かな？（y/n）y
動かないでいよう
モンスターは友好的かな？（y/n）n
逃げろ！
```

入力が「y」なのでループは実行され続けるね

入力が「n」なのでループは終わり、新しいメッセージが表示されるよ

■■ おぼえておこう

「〜まで繰り返す」ブロック

パイソンの「while」ループは、スクラッチの「〜まで繰り返す」ブロックとにているね。どちらもプログラムで何かが変わるまでくり返し続けるよ。

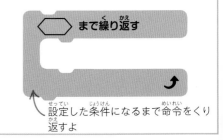

> まで繰り返す

設定した条件になるまで命令をくり返すよ

ずっとくり返す

ずっとくり返すループもあるよ。「while」ループの条件を「True」と書いておけば、ループ条件は決してfalseにはならず、ループが止まることはないよ。このテクニックは便利だけど、困ったことを引き起こす場合もあるんだ。

▶ まわり続ける
ループ条件を「True」で固定してしまったループを「無限ループ」とよぶよ。無限なものには終わりがないんだ。

1 ずっと続くループを作る

ループの内側で何が起きても、条件はtrueのままなのでループはずっとくり返されるんだ。

入力した文字は変数「answer」にセットされるよ

このループが終わることはないよ

```
while True:
    answer = input("何かことばを入力して Enter キーを押してください： ")
    print("二度と\"" + answer + "\"とは入力しないでください。")
```

2 出力の結果

左のページのプログラムでは、ループ条件と入力を照らし合わせていたね。入力が「y」でなければループは止まったよ。でも上のソースコードのループは入力をチェックしていないから、ユーザーがループを止められないんだ。

何が入力されても、このループは動き続けるよ

```
>>>
何かことばを入力して Enter キーを押してください：木
二度と "木" とは入力しないでください。
何かことばを入力して Enter キーを押してください：カバ
二度と "カバ" とは入力しないでください。
何かことばを入力して Enter キーを押してください：水
二度と "水" とは入力しないでください。
何かことばを入力して Enter キーを押してください：
```

■ ■ ■ おぼえておこう

「ずっと」ブロック

スクラッチの「ずっと」ブロックを覚えているかな。内側に入っている命令を赤いストップボタン（赤信号）が押されるまで続けたね。「while True」のループはまったく同じ働きをするんだ。プログラムが動いている間、何かの処理（質問や数字の出力）をくり返す場合に利用できるよ。

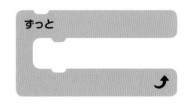

ずっと

■ ■ ■ うまくなるヒント

ループを止める

無限ループが止まらなくなっても、IDLEの画面から止められるよ。シェル・ウィンドウをクリックして、「Ctrl」キーを押したまま「C」キーを押そう。これで、IDLEにプログラムを止めるよう指示できるぞ。ただし、何回か続けて「Ctrl+C」を押さなければ止まらないかもしれないよ。

Ctrl-C

くり返しからぬけ出す

ループからぬけ出すには「break」ということばを書いておこう。ずっと続くループからでもぬけ出せるよ。「continue」ということばを書いておけば、その回のループを打ち切って、次のループに入るよ。

このページも見てみよう

❮ 122–123　パイソンでの
　　　　　　　くり返し

❮ 124–125　条件つきの
　　　　　　　くり返し

breakを入れる

ループの中に「break」を入れておけば、プログラムはループの外にぬけ出る。ループ条件がtrueでもぬけ出てしまうぞ。ループの中で「break」のうしろにある命令はすべて無視されるんだ。

1 **かんたんなプログラム**

九九の7の段を質問するプログラムだ。このプログラムでは9つすべての計算の答えが入力されるまで、ループがくり返されるよ。コード・ウィンドウに右のソースコードを書いてね。

変数「i」は1から9まで
カウントするよ

```
table = 7
for i in range(1, 10):
    print(i, "x", table, "は?")
    guess = input()
    ans = i * table
    if int(guess) == ans:
        print("正解!")
    else:
        print("はずれ。答えは", ans, "だよ")
print("これでおしまい")
```

この行の中の
「i」はループ
用の変数だ

2 **「break」を入れる**

ユーザーがループからぬけ出せるよう、「break」を1つ入れてみよう。ユーザーが「やめる」と入力すれば「break」が実行されるよ。

「guess」の中身が「やめる」なら、ループの残りをやめて、「これでおしまい」と出力するよ

```
table = 7
for i in range(1,13):
    print(i, "x", table, "は?")
    guess = input()
    if guess == "やめる":
        break
    ans = i * table
    if int(guess) == ans:
        print("正解!")
    else:
        print("はずれ。答えは", ans, "だよ")
print("これでおしまい")
```

変数「ans」には正しい答えが
セットされているぞ

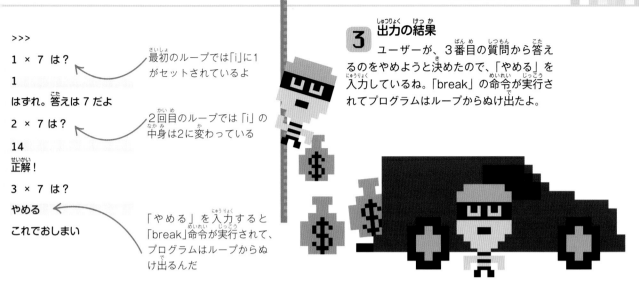

```
>>>
1 × 7 は？
1
はずれ。答えは 7 だよ
2 × 7 は？
14
正解！
3 × 7 は？
やめる
これでおしまい
```

最初のループでは「i」に1がセットされているよ

2回目のループでは「i」の中身は2に変わっている

「やめる」を入力すると「break」命令が実行されて、プログラムはループからぬけ出るんだ

3 出力の結果
ユーザーが、3番目の質問から答えるのをやめようと決めたので、「やめる」を入力しているね。「break」の命令が実行されてプログラムはループからぬけ出たよ。

スキップする

「continue」ということばを使えば、ループからぬけ出ずに質問をパスできるよ。このことばは、プログラムに残りのループの中の命令を無視して先頭にもどり、次のループに入るよう指示するよ。

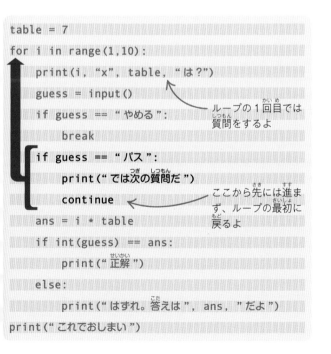

```
table = 7
for i in range(1,10):
    print(i, "x", table, " は？")
    guess = input()
    if guess == "やめる":
        break
    if guess == "パス":
        print("では次の質問だ")
        continue
    ans = i * table
    if int(guess) == ans:
        print(" 正解 ")
    else:
        print(" はずれ。答えは ", ans, " だよ ")
print(" これでおしまい ")
```

ループの1回目では質問をするよ

ここから先には進まず、ループの最初に戻るよ

4 「continue」を入れる
ループの中に「if」で始まるコードを入れて、ユーザーが「パス」と入力したかをチェックするよ。もし「パス」と入力した場合は「じゃあパスするよ」と出力して「continue」の命令を実行するんだ。

5 出力の結果
ユーザーが質問に答えたくないときは「パス」と入力すると次の質問にうつるよ。

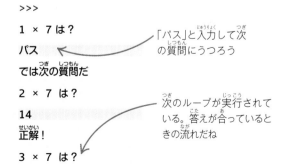

```
>>>
1 × 7 は？
パス
では次の質問だ
2 × 7 は？
14
正解！
3 × 7 は？
```

「パス」と入力して次の質問にうつろう

次のループが実行されている。答えが合っているときの流れだね

リスト

たくさんのデータを１カ所に集めておきたければ、リストに入れておこう。リストには数、文字列、他のリストが入れられるよ。

このページも見てみよう

‹ 54-55　文字列とリスト

自動作文マシン 132-133 ›

リストとは？

リストはいろいろなアイテムを入れられる「たな」のようなものだ。それぞれの段には番号がふられていて、この番号を使って位置を指定できる。リストの中のアイテムはいつでも出し入れできるよ。

▼ リストの作り方

リストに入れるアイテムは1つずつダブルクォーテーションで囲んで、他のアイテムとはカンマで区切るんだ。そして全体を角かっこ[ ]で囲むよ。

リストを変数「mylist」にセットするよ

```
>>> mylist = ["リンゴ", "ミルク", "チーズ", "アイスクリーム", "レモネード", "紅茶"]
```

リスト内のアイテムは角かっこで囲もう

アイテムはカンマで区切って書くよ

▶ リストの働き

リストは「たな」みたいなもので、それぞれの段に1つのアイテムがのっている。アイテムを変えるには、そのアイテムがのっているたなを指定しよう。

リストからアイテムを取り出すには、正しい段に行かなければならないよ

アイテムの位置は「インデック値」とよばれるよ

[0]

文字列と同じように、リストの中のアイテムには0番から番号がふられる。「リンゴ」の番号（インデックス値）は「0」だね

[1]

「mylist[1] = "ケーキ"」と入力すれば、1番の「ミルク」が「ケーキ」に変わるよ

[2]

「mylist[2]」の中身は「チーズ」だね

[3]

「mylist.insert(3, "オレンジ")」と入力すれば、ここにオレンジが入る。アイスクリームは4番の位置にうつり、他のアイテムも1つずつ位置が下がるよ

[4]

「del mylist[4]」と入力すると「レモネード」がリストからなくなって「紅茶」が4番になるよ

[5]

「パイ」をリストの最後に加えるには「mylist.append("パイ")」と書けばいい。これで「紅茶」のうしろの6番に「パイ」が入るよ

リストを使う

リストを作ったら、その中のデータを使うプログラムを書けるよ。例えばループの処理で使えるね。リストをつないで新しいリストを作ることもできるんだ。

変数「names」の中にリストがセットされるよ

```
>>> names = ["シモン", "ケイト", "ヴァーニャ"]
>>> for item in names:
        print("やあ", item)
```

```
やあ シモン
やあ ケイト
やあ ヴァーニャ
```

「やあ」ということばのうしろに、リストの中の名前が1つずつ表示されるよ

◀ **ループで使う**
左のソースコードは、リストに入っている名前をあげて、順に「やあ」とあいさつするんだ。

リストの中身を角かっこで囲む

▶ **リストをつなげる**
2つのリストをつなげてみよう。新しくできたりストには両方の中身が入っているぞ。

```
x = [1, 2, 3, 4]
y = [5, 6, 7, 8]
z = x + y
print(z)
z = [1, 2, 3, 4, 5, 6, 7, 8]
```

2つのリストをつなげているよ

新しいリストには「x」と「y」のすべてのアイテムが入っているね

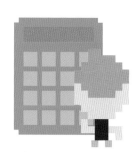

▼ **リストの中にリストを入れる**
リストを別のリストの中に入れることもできるよ。次の「suitcase」リストには服やくつを入れた2つのリストが入っているよ。

この3つのアイテムが1つのリストになっている。そして、そのリストが「suitcase」リストのアイテムの1つになっているんだ。こっちがsuitcase[0]になるよ

こっちがsuitcase[1]だ

```
>>> suitcase=[["ぼうし","ネクタイ","くつ下"], ["バッグ","くつ","シャツ"]]
>>> print(suitcase)
[["ぼうし","ネクタイ","くつ下"], ["バッグ","くつ","シャツ"]]
>>> print(suitcase[1])
["バッグ","くつ","シャツ"]
>>> print(suitcase[1][2])
シャツ
```

「suitcase」リストの中身をすべて出力するよ

2番目のリスト（suitcase[1]）の中身を出力するよ

suitcase[1]のインデックス値が2のアイテムを出力する。インデックス値は0から数えるぞ。

関数

関数は特別な働きをすることばのことだよ。どのような働きをするかをソースコードで書き、関数の名前を決めておけば、「よび出す」ことでいつでも使えるようになるよ。関数にしておけば、同じソースコードを何回も書かずにすむんだ。

このページも見てみよう

自動作文マシン 132-133 ＞

変数と関数 138-139 ＞

便利な関数

パイソンには便利な関数がすでに用意されているよ。関数がよび出されると、関数ごとに書かれているソースコードを読んで実行するよ。関数の処理が終わると、プログラムは関数をよび出した行までもどって、次の命令に取りかかるんだ。

print ()	input ()	randint ()

▲「print()」関数

この関数はユーザーへの出力（ユーザーへの指示や処理結果など）を画面に表示するよ。

▲「input()」関数

この関数は「print()」関数とはぎゃくの働きをするんだ。ユーザーにキーボードから命令やデータを入力してもらうよ。

▲「randint()」関数

この関数は乱数を作るよ。サイコロをふるようなものだ。プログラムの結果が偶然に左右されるようにできるんだ。

関数の作り方とよび出し方

パイソンにすでに入っている関数だけしか使えないわけではないよ。特別な書き方でソースコードを書いて、名前をつければ、新しい関数が作れるんだ。必要なときにいつでも使えるようになるぞ。

1 関数を決める

関数を作るときは「def」を必ず使う。「def」のすぐうしろには関数の名前を書いておくんだ。コード・ウィンドウでコードを打って実行したあと、シェル・ウィンドウを確認みよう。

```
def greeting():
    print("こんにちは!")
```

関数の名前の終わりをしめすコロンだよ。

関数の中身を示すソースコードだ

2 関数をよび出す

シェル・ウィンドウで関数の名前を書いてかっこをつければ、関数をよび出して結果を表示できるよ。

```
>>> greeting()
こんにちは!
```

「greeting」関数をよび出したら同じことばが画面に出力されたよ

かっこがあるので「greeting」は変数ではなく関数だね

関数にデータをわたす

関数にはどのデータを使うのかを教えないといけないよ。例えば「print (a, b, c)」と書けば、「print ()」関数に変数「a」「b」「c」がわたされる。「height (1, 45)」と書けば、「height」関数に1と45という数がわたされるんだ。

1 関数で引数を使うようにする

関数にわたすデータを「引数」というよ。引数を指定するには、関数の名前のすぐうしろにかっこで囲んで書いておけばいいよ。

「m」と「cm」が引数だよ

```
def height(m, cm):
    total = (100 * m) + cm
    print(total, "センチの高さだね")
```

「total」の中の数に続いて「センチの高さだね」が表示されるよ

「m」（メートル）と「cm」（センチメートル）が入力されたら1m＝100cmで計算して、全体の長さをcmで表示するよ

2 データをわたしてみる

関数の中のソースコードは、わたされた引数を使って計算するようになっているよ。

「m」を1、「cm」を45にしてみよう

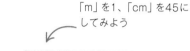

```
>>> height(1, 45)
145センチの高さだね
```

1m45cmは145cmだね

関数からデータを返す

関数からデータをプログラムに返すようにすると、とても便利なんだ。返ってくるデータを「戻り値」というよ。戻り値を返す関数を作るには、ソースコードに「return」ということばを入れ、そのすぐうしろに戻り値を指定しておくんだ。

1 数を返す関数を作る

パイソンの「input()」関数は、数が入力されたときでも必ず文字列を返すんだ。次の新しい関数では文字列ではなく数を返すようにしたよ。

```
def num_input(prompt):
    typed = input(prompt)
    num = int(typed)
    return num

a = num_input("a を入力してください ")
b = num_input("b を入力してください ")
print("a + b =", a + b)
```

変数「typed」には文字列としてセットされるよ

この行で文字列を数に変えて、変数「num」にセットしているね

変数にセットされた数を返すよ

2 出力の結果

もし「input()」関数をそのまま使ったら、「a+b」は文字列「10」に文字列「7」をつなぐので、答えは「107」になってしまうよ。

a を入力してください 10
b を入力してください 7

a + b = 17

「a+b」が「17」になるのは、「num_input」関数が文字列ではなく数を返すからなんだ

▶ プロジェクト5

自動作文マシン

ここまでに習ったループ、関数、リストはいっしょに使うと、もっとふくざつな動きをする楽しいプログラムを作れるよ。

このページも見てみよう

❮ 124–125	条件つきのくり返し
❮ 128–129	リスト
❮ 130–131	関数

文章を自動的に作る

このプログラムは、ことばを入れた3つのリストを使って文章を作るんだ。それぞれのリストから1つのことばをランダムに選んでつなぐと、自動的に文章ができるよ。

ちがうことばをセットして、君だけの文章を作ってみよう。

1 コード・ウィンドウで次のように3つのリストにことばをセットしよう。これで文章を作るのに使うリストができたね。

　　　　　　　　　　　　　リストの中のアイテムはどれも文字列だ

```
name = ["タカシが", "ニュートンが", "パスカルが"]
noun = ["ライオンを", "自転車を", "飛行機を"]
verb = ["買う", "乗り回す", "たたく"]
```

2 作ったリストからランダムにことばが選ばれて文章ができるよ。このような働きをする関数を作ってプログラムに入れよう。

　　　　　　　　　　　乱数を作る「randint」関数をよび出すよ

```
from random import randint
def pick(words):
    num_words = len(words)
    num_picked = randint(0, num_words - 1)
    word_picked = words[num_picked]
    return word_picked
```

リストの中にことばがいくつ入っているかを調べているよ

リストの中のことばを1つ選ぶために、乱数を作るよ

ランダムに選ばれたことばを変数「word_picked」にセットしているよ

3 「pick」関数を3つのリスト1つごとに実行して文章を作るよ。ことばはランダムに選ばれるんだ。「print」命令で文章を画面に表示しよう。

```
print(pick(name), pick(noun), pick(verb), end="。\n")
```

句点「。」を文章の最後に入れ、「\n」で行を変えるよ。

4 プログラムをセーブしてから実行してみよう。3つのリストから選んだことばで文章が作られるよ。

パスカルが 自転車を たたく。

プログラムを実行するたびに、ランダムにことばが選ばれるぞ

文章を作り続ける

文章を作り続けるために、ずっと続くループをプログラムに加えてみよう。ループからぬけ出るためには、「Ctrl」キーを押しながら「C」キーを押すんだ。

> ■ ■ ■ うまくなるヒント
>
> ### 読みやすいソースコード
>
> プログラムをわかりやすく書くのはとても大切なことなんだ。あとで改良するときに、プログラムがどのように動いているか、調べるところから始めなくてもすむからね。

1 「print」命令を「while True」ループの中に入れれば、文章を作って表示し続けるよ。

```
while True:              ←「print」命令をループの中に入れよう
    print(pick(name), pick(noun), pick(verb), end="。")
    input()             「Enter」キーが押されるたびに新しい文章を表示するぞ
```

2 「input()」関数はユーザーが「Enter」キーを押すのを待ってから、新しい文章を表示するよ。

文章をランダムに作り続けるよ

パスカルが 飛行機を たたく。
タカシが ライオンを 買う。
ニュートンが 自転車を 乗り回す。

タプルとディクショナリー

情報を順番に並べて記録するのにはリストを使うけれど、他にも情報を保管しておく方法があるよ。「タプル」と「ディクショナリー」というんだ。このようにアイテムをいくつも保管できるデータ型を「コンテナ」とよぶよ。

このページも見てみよう
❮ 110-111　データ型
❮ 128-129　リスト

タプル

タプルはリストと少しにているけど、中のアイテムを変えられないんだ。一度タプルにセットしたら、中のアイテムはずっと同じままだよ。

タプルの中のアイテムはかっこで囲むんだ

```
>>> dragonA = （"サム", 15, 1.70)
>>> dragonB = （"フィオナ", 16, 1.68)
```

アイテムの間はカンマで区切るよ

◀ タプルとは？

いくつかのデータをまとめておくのにタプルは便利だよ。ここではドラゴンの名前（name）、年れい（age）、身長（height）をセットしたよ。

▶ アイテムを参照する

タプルからアイテムを取り出すには位置番号（インデックス値）を使うんだ。リストや文字列と同じように、0番から番号がふってあるよ。

```
>>> dragonB[2]
1.68
```

2番のアイテムを選んでいるね

```
>>> name, age, height = dragonA
>>> print(name, age, height)
サム 15 1.7
```

タプル「dragonA」のアイテムが区切られて画面表示されるよ

◀ アイテムを変数にセットする

3つの変数「name」「age」「height」をタプル「dragonA」にわり当てているよ。タプルの3つのアイテムを、3つの変数にそれぞれセットするよ。

▶ タプルをリストに入れる

コンテナ型のデータではおたがいを自分のアイテムにできるんだ。だからタプルをリストのアイテムの1つにできるよ。

「dragons」という名前のタプルのリストを作るよ　*リストなので角かっこを使うよ*

```
>>> dragons = [dragonA, dragonB]
>>> print(dragons)
[（"サム", 15, 1.7), （"フィオナ", 16, 1.68)]
```

タプルの名前ではなく、リストの中のアイテムをすべて表示するよ

ディクショナリー

ディクショナリーもリストとにているけど、アイテムに名前をつけているんだ。この名前は「キー」として、インデックス値の代わりにアイテムを指すのに使うよ。ディクショナリーの中のアイテムは、それぞれキーと値を持っているんだ。ディクショナリーのアイテムは順番どおりに並べておく必要はないし、アイテムを変えることもできるよ。

▶ディクショナリーを作る

「age」というディクショナリーを作ろう。アイテムのキーは名前、値はその人の年れいだよ。

ディクショナリーは波かっこ{ }を使うよ

ディクショナリー内のアイテムはカンマで区切るんだ

```
>>> age = {"マリー": 10, "サンディ": 8}
```

キーはインデックス値と同じような働きをするんだ

ディクショナリーに入れる値は、必ずコロンのうしろに書くよ

```
>>> print(age)
{"サンディ": 8, "マリー": 10}
```

ディクショナリーの名前だね

このアイテムのキーは「サンディ」だ

キー「マリー」の値は10だよ

◀ディクショナリーを出力する

アイテムの並び順は変えられるよ。ディクショナリーではアイテムの位置は固定されていないんだ。

▶アイテムを追加する

新しいキーをつければ、ディクショナリーにアイテムを追加できるんだ。

新しいキー

```
>>> age["オーエン"] = 11
>>> print(age)
{"オーエン": 11, "サンディ": 8, "マリー": 10}
```

ディクショナリーに新しいアイテムを加える

新しい値がディクショナリーにセットされているね

前からセットされていた値はそのままだ

```
>>> age["オーエン"] = 12
>>> print(age)
{"オーエン": 12, "サンディ": 8, "マリー": 10}
```

新しい値を「オーエン」にセットするよ

「オーエン」の値が変わったね

◀値を変える

今あるキーを使って新しい値をわりふれば、アイテムの値を変えられるよ。

▶アイテムをへらす

ディクショナリーでは位置ではなくキーでアイテムを示すので、アイテムを取り去っても他のアイテムには何も起こらないんだ。

「オーエン」というキーのアイテムを取り去るよ

```
>>> del age["オーエン"]
>>> print(age)
{"サンディ": 8, "マリー": 10}
```

ディクショナリーの中身を表示しても「オーエン」というアイテムはもう出てこないよ

変数にリストを入れる

パイソンでは変数の中にリストをセットできるけど、最初のうちは変なことだと思うかもしれないね。でも、パイソンがどのように処理しているかがわかれば納得できるよ。

このページも見てみよう

❮ 108–109　パイソンの変数

❮ 128–129　リスト

▲ **変数の働き**
変数は値が書かれた紙を入れている1つの箱のようなものだ。

変数は値を入れておくだけのもの

変数は値を入れる箱のようなものだ。ある変数の値を別の変数にコピーして保管することができるよ。ちょうど箱「a」の中身をコピーして箱「b」に入れるようなものだね。

1 **変数に数をセットする**
変数「a」に2をセットしてから、変数「b」に変数「a」をセットしてみよう。変数「b」には2がコピーされているね。

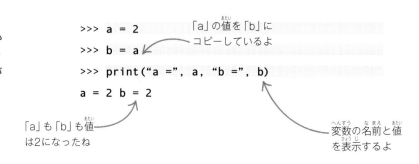

```
>>> a = 2
>>> b = a
>>> print("a =", a, "b =", b)
a = 2 b = 2
```

「a」の値を「b」にコピーしているよ

「a」も「b」も値は2になったね

変数の名前と値を表示するよ

2 **変数の値を変えてみる**
ある変数の値を変えても、別の変数の値が変わるわけではないんだ。「a」という箱の中の紙に何か書いても、別の箱「b」の中の紙には変化がないのと同じだね。

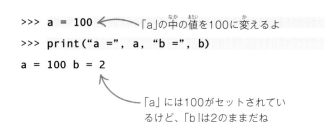

```
>>> a = 100
>>> print("a =", a, "b =", b)
a = 100 b = 2
```

「a」の中の値を100に変えるよ

「a」には100がセットされているけど、「b」は2のままだね

3 **「b」の値を変えてみる**
変数「b」の値を22に変えてみよう。変数「a」の値は100のままだ。最初に「b」に「a」の値をコピーしてセットしたね。でも今は「a」も「b」もべつべつの変数で何の関係もないんだ。だから「b」の値を変えても「a」は変わらないんだよ。

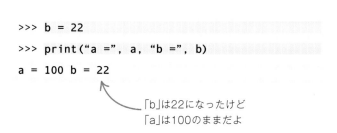

```
>>> b = 22
>>> print("a =", a, "b =", b)
a = 100 b = 22
```

「b」は22になったけど「a」は100のままだよ

変数にリストを入れたらどうなるのか？

変数の値を別の変数にコピーすると、同じ値をセットしたべつべつの変数が2つできるよ。値が数ではなく、他のデータ型だったらどうなるだろう？変数の中にリストがセットされている場合は、ちょっとちがう動きをするんだ。実験してみよう。

**リストを作るときは
角かっこを使おう**

1 リストをコピーする

「listA」という変数に[1, 2, 3]というリストをセットするよ。それから変数「listA」の値を「listB」という変数にコピーするんだ。すると、両方の変数に[1, 2, 3]という同じリストが入るよ。

```
>>> listA = [1, 2, 3]
>>> listB = listA
>>> print("listA =", listA, "listB =", listB)
listA = [1, 2, 3] listB = [1, 2, 3]
```

**これで変数の名前と値
が画面に表示されるよ**

「listA」と「listB」の両方に同じ値がセットされているね

リストの2番目のアイテムを指しているよ。リストでは0から数え始めるからね

2 「listA」を変えてみる

listA[1]の値を1000に変えてみよう。するとlistB[1]にも1000がセットされたよ。もとのリストを変えると、コピーしたリストも変わるんだ。

```
>>> listA[1] = 1000
>>> print("listA =", listA, "listB =", listB)
listA = [1, 1000, 3] listB = [1, 1000, 3]
```

「listA」と「listB」の
2番目のアイテムが
両方とも変わったよ

リストの3番目
のアイテムだよ

3 「listB」を変えてみる

listB[2]を75に変えてみよう。今度はlistA[2]も75に変わったね。コピーしてできたリストを変えると、元のリストも変わるんだ。

```
>>> listB[2] = 75
>>> print("listA =", listA, "listB =", listB)
listA = [1, 1000, 75] listB = [1, 1000, 75]
```

「listA」と「listB」の3番目のアイテムが両方とも変わったよ

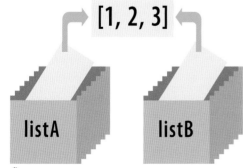

[1, 2, 3]

listA   listB

▲何が起こったのか？

リストを入れた変数はリストとの「つながり」を持っているだけなんだ。「listA」の値をコピーすると、リストへの「つながり」がコピーされる。だから「listA」と「listB」には、同じリストへの「つながり」が入っているんだ。

▪ ▪ **うまくなるヒント**

リストのコピー

同じ中身を持つリストを作りたければ、「copy」関数を使おう。「listC」にはまったく新しいリストへの「つながり」がセットされ、そのリストには「listA」から値がコピーされているよ。こうすれば「listA」を変えても「listC」は変わらず、「listC」を変えても「listA」は変わらないよ。

```
>>> listC = listA.copy()
```

変数と関数

関数の中で作られた変数（ローカル変数というよ）と、メインのプログラムで作られた変数（グローバル変数）は働き方がちがっているよ。

このページも見てみよう

〈 130-131　　　　　関数

図形を　　　　　158-159 〉
かく

ローカル変数

ローカル変数は1つの関数の中だけに存在するんだ。だからメインのプログラムや他の関数は、このローカル変数を使えないよ。もしローカル変数を関数の外で使おうとすると、エラーメッセージが表示されるよ。

ローカル変数は目かくしをした自動車に乗っているスターのようだ。外からは見えないんだ。

1 関数の中から見た変数

関数「func1」の中に「a」という変数を作る。メインのプログラムから「func1」をよび出してみよう。

```
>>> def func1():
        a = 10
        print(a)
>>> func1()
10
```

print(a)を入力したらプロンプト（>>>）が出るまでEnterキーを押そう。「func1」をよび出すと「a」にセットされた値が表示される

2 関数の外から見た変数

メインのプログラムから直接「a」を出力しようとするとエラーになる。「a」は「func1」の中だけでしか働けないんだね。

```
>>> print(a)
Traceback (most recent call last):
  File "<pyshell#6>", line 1, in <module>
    print(a)
NameError: name "a" is not defined
```

メインのプログラムは「a」が何なのか知らないので、エラーメッセージを表示するよ。

グローバル変数

メインのプログラムで作られた変数をグローバル変数というよ。他の関数もこの変数を読めるけど、値を変えることはできないよ。

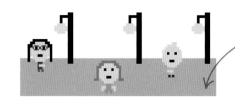

グローバル変数は街を歩いている人のようだね。誰でもその人を見ることができるよ。

1 関数の外の変数

メインのプログラムで「b」というグローバル変数を作ろう。新しい関数「func2」を作ると、この関数から「b」の値を読んで出力できることがわかるね。

```
>>> b = 1000
>>> def func2():
        print(b)
>>> func2()
1000
```

「func2」は「b」の値を読みとれる。これは「b」がグローバル変数だからだね

「func2」は「b」の値を出力してくれるぞ

2 どこからでも読める変数

メインのプログラムから直接「b」の値を出力することもできるよ。「b」は関数の中で作られたわけではないので、どこからでも読みとれるんだ。

```
>>> print(b)
1000
```

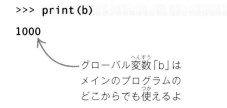

グローバル変数「b」はメインのプログラムのどこからでも使えるよ

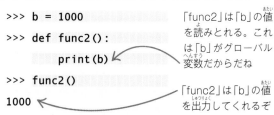

変数を引数として使う

変数を受けとるように作られた関数では、受けとった変数の値を自分のローカル変数にコピーするんだ。だから関数の中でローカル変数の値を変えても、元の変数の値は変わらないんだよ。

1 ローカル変数の値を変えてみる

「func3」は変数「y」を引数として受けとるよ。この「y」はローカル変数だね。「func3」は「y」の値を出力してからその値を「パン」に変え、もう1回「y」の値を出力するぞ。

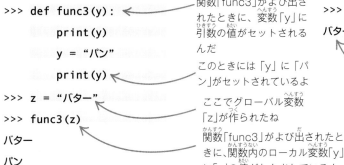

```
>>> def func3(y):
        print(y)
        y = "パン"
        print(y)
>>> z = "バター"
>>> func3(z)
バター
パン
```

関数「func3」がよび出されたときに、変数「y」に引数の値がセットされるんだ

このときには「y」に「パン」がセットされているよ

ここでグローバル変数「z」が作られたね

関数「func3」がよび出されたときに、関数内のローカル変数「y」に「z」の値がわたされているよ

2 変数を出力する

関数「func3」をよび出してから「z」を出力しても変わっていない。関数「func3」をよび出すと「z」の値（バター）がローカル変数「y」にわたされるけど、「z」は変わらないんだ。

```
>>> print(z)
バター
```

「func3」が処理を終えたあとでグローバル変数「z」を出力してみよう

関数「func3」のローカル変数「y」には「z」の値がコピーされたよ。それから「y」の値は「パン」に変わったけれども、グローバル変数「z」は影響を受けないんだ。だから「z」は「バター」のままだよ。

グローバル変数をマスクする

関数の中ではグローバル変数の値を変えられないんだ。でも同じ名前のローカル変数を作ることで、関数の中でグローバル変数の値を変えたように見せる方法があるよ。このような方法をローカル変数でグローバル変数を「マスクする」というよ。

1 グローバル変数の値を変える

グローバル変数「c」に12345をセットしよう。関数「func4」は「c」に555をセットして出力するよ。グローバル変数「c」が変わったように見えるね。

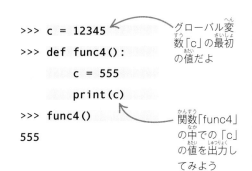

```
>>> c = 12345
>>> def func4():
        c = 555
        print(c)
>>> func4()
555
```

グローバル変数「c」の最初の値だよ

関数「func4」の中での「c」の値を出力してみよう

2 変数を出力する

「c」の値を関数の外から出力させると、「c」が変わっていないことがわかる。「func4」は新しいローカル変数の値を出力しただけなんだ。

```
>>> print(c)
12345
```

グローバル変数「c」は変わっていないよ

■ ■ ■　**うまくなるヒント**

関数をよび出す

関数をよび出すには2つのやり方があるよ。

function(a)

データは「オブジェクト」とよばれるよ。このデータオブジェクト「a」をわたしてよび出す関数があるんだ。

a.function()

データオブジェクト「a」のうしろにピリオドをつけ、その次に関数の名前を書いてよび出すタイプもあるよ。

このページも見てみよう

‹ 122–123 パイソンでの
くり返し

ライブラリー   152–153 ›

▶ プロジェクト6

作図マシン

ここでもう少しふくざつなプロジェクトをやってみよう。この作図マシンのプログラムでは、文字列をタートル用のかんたんな命令に変換して、図形をかかせるよ。このプログラムを作るときのスキルや考え方は、プログラマーにとってとても大切なんだ。

図形をかいてみよう

図形をかくプログラムを作ろう。どんな図形にするか決めておくとプログラムが書きやすくなる。下のような家の形をかいてみよう。プロジェクトの最後には、線を引くための命令がいくつも入った文字列を使って、もっとかんたんに図形がかけるようになるぞ。例えば「forward(100)」ではなく「F100」というぐあいだ。

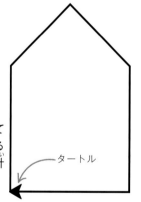

▶ タートルが家をかく
矢印はタートルが最後に向いていた方向と位置を示しているよ。左下から動き出して、時計回りに家をかいたんだね。

タートル

```
from turtle import *
reset()
left(90)
forward(100)
right(45)
forward(70)
right(90)
forward(70)
right(45)
forward(100)
right(90)
forward(100)
```

タートルを動かす命令をすべて読みこんでいるよ

タートルの位置をリセット、ペンを下ろして線をかく用しているよ

タートルを前へ70歩だけ進めているぞ

タートルは90度右に向きを変えるよ

▲ 家の形をかくためのプログラム
このソースコードでタートルが家の形をかくよ。とても行の数が多いね。

3つの部分

今回のプログラムは3つの部分にわけて考えると、わかりやすくなるよ。それぞれの部分はちがう働きをするんだ。

関数1

▲ turtle_controller
この関数はユーザーからかんたんな命令を受けとって、タートル用の命令に変換するんだ。ユーザーが使う命令はアルファベット1文字と数字でできているよ。

関数2

▲ string_artist
ユーザーからの命令を文字列として受けとるよ。この関数は文字列を小さく切って、関数「turtle_controller」にわたす働きをするんだ。

メインのプログラム

▲ ユーザー・インターフェ
関数「string_artist」は、かで命令を受けとらなければならないよ。ユーザー・インターフェースは、ユーザーが「string_artist」にわたす命令（1つ字列）をキーボードから入きるようにするよ。

フローチャートをかく

プログラマーは紙の上でプログラムを設計することが多いよ。まちがいの少ない、よりよいソースコードを書くのに役立つんだ。そのやり方の1つがフローチャートをかくことだ。フローチャートは、プログラムが順に実行する処理と判断を図で表したものだよ。

1 このフローチャートは関数「turtle_controller」の設計図だ。変数「do」に入ったアルファベットと変数「val」に入った数を受けとって、タートル用の命令に変換するんだ。例えば「F」と「100」なら「forward(100)」に置きかえるよ。理解できない文字が入ってきたときは、ユーザーにエラーを返すよ。

■ ■ ■ うまくなるヒント

長方形とひし形

フローチャートは長方形とひし形でできているよ。長方形の中にはプログラムが実行する処理が書かれている。ひし形は、プログラムが何かの判断をすることを示しているんだ。

処理　　　　判断

2つの変数で1つの命令ができている。「do」（文字列）はタートルがどう動くかを指示し、「val」（整数）はタートルがどれくらい動けばいいのかを指示するよ

「do」にセットされているのが決められた文字なのかチェックする

「F」でなければ、他の文字なのかをチェックしていく

「R」でもないとしたら「U」かな？

「do」が「F」ならタートルはまっすぐ動くよ

「do」が「R」ならタートルは右に曲がるよ

「do」が「U」なので「ペンを上げる」という命令だ。タートルは線を引くのをやめるよ

「do」が決められている文字ではなかった場合、エラーメッセージを出力するんだ

関数での処理が終わると、関数をよび出したプログラムにもどるよ

いくつかある命令の1つがうまく実行されたら、関数を終わらせる処理に行くよ

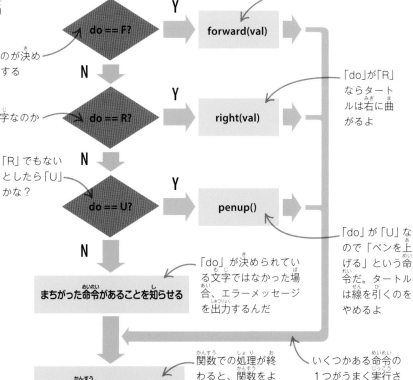

「do」と「val」を受けとる

do == F? → Y → forward(val)

N

do == R? → Y → right(val)

N

do == U? → Y → penup()

N

まちがった命令があることを知らせる

関数からもどる

■ ■ ■ うまくなるヒント

アルファベットの命令

関数「turtle_controller」はアルファベットの大文字1文字で、タートル用の命令を表しているよ。

N= 新しく作図を始める（リセット）
U/D= ペンを上げる／下げる
F= 前方へ進む
B= 後方へ進む
R= 右へ回転する
L= 左へ回転する

作図マシン

関数「turtle_controller」（タートルを動かす）

最初に作るのはタートルを動かす関数だよ。一度に1つの命令を処理するんだ。
次のソースコードを使えば、変数「do」と「val」の値を変換してタートルを
動かす命令にできるんだ。

2 関数「turtle_controller」のソースコードだよ。「do」にセットされた値はタートルが動く方向に、「val」にセットされた値は角度か距離に変換するよ。

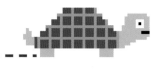

タートルに線を引き始めるよう指示するよ

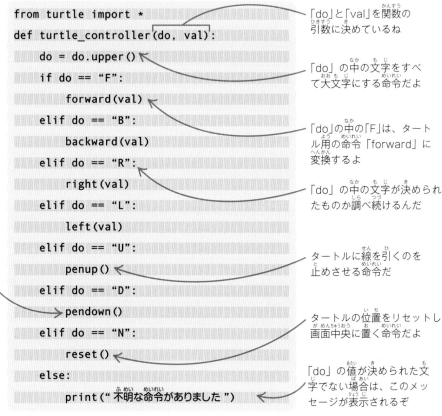

```python
from turtle import *
def turtle_controller(do, val):
    do = do.upper()
    if do == "F":
        forward(val)
    elif do == "B":
        backward(val)
    elif do == "R":
        right(val)
    elif do == "L":
        left(val)
    elif do == "U":
        penup()
    elif do == "D":
        pendown()
    elif do == "N":
        reset()
    else:
        print("不明な命令がありました")
```

「do」と「val」を関数の引数に決めているね

「do」の中の文字をすべて大文字にする命令だよ

「do」の中の「F」は、タートル用の命令「forward」に変換するよ

「do」の中の文字が決められたものか調べ続けるんだ

タートルに線を引くのを止めさせる命令だ

タートルの位置をリセットし画面中央に置く命令だよ

「do」の値が決められた文字でない場合は、このメッセージが表示されるぞ

3 関数「turtle_controller」の使い方の例だよ。この関数を使うたびに「do」と「val」を指定してあげるんだ。関数はタートルにわかる命令に変換してくれるよ。

関数の名前を書いてよび出すよ

タートルに100歩前進するよう指示しているね

```python
>>> turtle_controller("F", 100)
>>> turtle_controller("R", 90)
>>> turtle_controller("F", 50)
```

タートルを右に90度回転させる

疑似コードを書く

プログラムを設計する方法は他にもあって、その1つが疑似コードを使うことだ。「疑似」というのは「本物ににていてまぎらわしい」という意味だよ。本物のソースコードではないので実行することはできないけど、アイデアを文章にして並べてみることでわかることがたくさんあるんだ。

1 関数「string_artist」を設計してみよう。この関数は「do」と「val」の値がいくつもつながった文字列を受けとって、アルファベットと数字の組に分解する。そしてその組を関数「turtle_controller」にわたすんだ。

命令を続けて書いた文字列

F100-R90-F50-R45

文字列を分解してできた組の1つ

 'F' 100 'R' 90 'F' 50 'R' 45

2 関数「string_artist」を疑似コードで書いてみたよ。このように書くと、アイデアがまとまってソースコードのだいたいの流れがわかるね。細かい部分はまだ考えなくていいんだ。

関数「string_artist」(タートルへの命令を文字列として受けとる)

受けとった文字列を「命令の組」に切り分けてリストに入れる

リスト内の「命令の組」ごとに

空ではないかチェックする

もし空なら次の「命令の組」にうつる

1文字目は命令のタイプを表す

次の文字があるなら

数に変換する

関数「turtle_controller」をよび出し、引数(命令のタイプと数)をわたす

■ ■ ■ うまくなるヒント

わかりやすいプログラミング

ソースコードはコンピューターだけでなく、人間が読んでもよくわかるようにしよう。

・関数を活用してソースコードを短くまとめよう。それぞれの関数には、プログラムの中で1つの仕事だけをさせよう。

・変数と関数の名前は、何をするためのものかがわかる名前にしよう。

・コメントを多く入れよう。文章の先頭に「#」をつけておけば、コンピューターには関係ない、人間向けのコメントだと判断してくれるよ。どんな処理をしているかの説明を書いておこう。

・他の人が見まちがえるかもしれない文字は使わないように。大文字の「O」(オー)はゼロに、小文字の「l」(エル)は大文字の「I」(アイ)や数字の「1」に見えてしまうよ。

関数はユーザーが入力した「F100-R90」のような文字列を受けとるよ。

文字列を切り分けてリストに入れるよ

この関数は命令が空なら読みとばすんだ

1文字目を「do」にセットする命令だと考えるよ

続く文字がある場合は「val」にセットする数だと考えるよ

関数「turtle_controller」に短く書いた命令をわたすよ

作図マシン

関数「string_artist」を作る

さあ、今度は疑似コードを本物のソースコードにしていこう。「split()」という関数を使うよ。

6　「split()」関数は文字列を短く切り分けてリストに入れていく関数だ。切り分ける目印には特定の文字を使うよ。このプログラムでは「-」を使っているぞ。

家の形をかくためのタートル用の命令を並べた文字列だね

```
>>> program = "N-L90-F100-R45-F70-R90-F70-R45-F100-R90-F100"
>>> cmd_list = program.split("-")
>>> cmd_list
["N","L90","F100","R45","F70","R90","F70","R45","F100","R90","F100"]
```

「split()」関数は文字列をいくつもの命令に切り分けるよ

7　次のソースコードを142ページのソースコードの下に続けて書こう。

「-」があるところで文字列を切り分けるように指示している

プログラムをリストのアイテムの数だけループさせるよ。

```
def string_artist(program):
    cmd_list = program.split("-")
    for command in cmd_list:
        cmd_len = len(command)
        if cmd_len == 0:
            continue
        cmd_type = command[0]
        num = 0
        if cmd_len > 1:
            num_string = command[1:]
            num = int(num_string)
        print(command, ":", cmd_type, num)
        turtle_controller(cmd_type, num)
```

命令を書いた文字列の長さを調べるよ

命令の2文字目以降があるかをチェックしているよ

文字列を数に変換するよ

命令の長さが0のときは、処理を打ち切って次のアイテムの処理にとりかかるよ

命令の1文字目を取り出して、命令のタイプ（「F」や「U」）として変数にセットするよ

命令の1文字目をのぞいた残り全部が取り出されるよ

画面に命令を表示して、プログラムが今何をしているかがわかるよ

タートルに命令を出すよ

8 家の形をかくための命令を文字列にして関数「string_artist」にわたすと、シェル・ウィンドウには次のような表示がされるよ。

```
>>> string_artist("N-L90-F100-R45-F70-R90-F70-R45-F100-R90-F100")
```

N : N 0　← 画面をリセットしてタートルを中央にもどすよ

L90 : L 90

F100 : F 100　← 命令は「F」タイプで、変数「num」の値は100だね

R45 : R 45

F70 : F 70　← この命令は屋根をかく前にタートルを右に45度回転させるんだ

R90 : R 90

F70 : F 70　← 右側の屋根をかく命令だ

R45 : R 45

F100 : F 100

R90 : R 90

F100 : F 100　← タートルは家の底の部分をかくため、右に90度回転するぞ

タートルへの命令はすべて「-」で区切られている

9 「string_artist」関数にわたされた命令のかたまりの文字列から、タートルへの命令が切り出され、チェックされ、実行されたよ。タートルグラフィックス用のウィンドウに家の形がかかれたね。

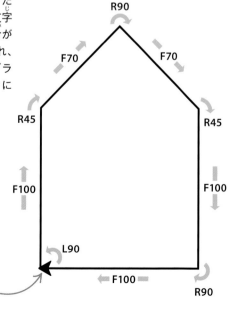

タートルが家をかいたよ

■■■ おぼえておこう

命令

タートルへの命令を思い出してみよう。1文字しかない命令もあるし、タートルに進む距離や回転する度数を指示するため、数をふくむ命令もあるね。「N」の命令で画面がリセットされるまで「string_artist」を実行するたびに画面に線が追加されるよ。

N= 新しく線を引く用意をする

U/D= ペンを上げる／下げる

F100= 前方へ100歩進む

B50= 後方へ50歩進む

R90= 右に90度回転する

L45= 左に45度回転する

作図マシン

ユーザー用の入力画面を作る

作図マシンには使いやすい入力画面が必要だ。ユーザーにはこの入力画面を
使ってキーボードでタートルへの作図命令（文字列）を入力してもらうよ。

10 次のソースコードは、ユーザーが作図命令を入力するポップアップウィンドウを作るためのものだ。「while True」ループでユーザーの入力を待ち続けるんだ。142ページと144ページのソースコードに続けて入力してね。

シングルクォーテーションを3つ続けると次に同じものが出てくるまで、改行があっても1つの文字列としてあつかわれるんだ

```python
instructions = ''' タートルへの指示を入力してください:
例 F100-R45-U-F100-L45-D-F100-R90-B50
N = 新しくかき始める
U/D = ペンを下げる / 上げる
F100 = 前方へ 100 歩進む
B50 = 後方へ 50 歩進む
R90 = 右へ 90 度回転する
L45 = 左へ 45 度回転する '''
screen = getscreen()
while True:
    t_program = screen.textinput(" 作図マシン ", instructions)
    print(t_program)
    if t_program == None or t_program.upper() == "END":
        break
    string_artist(t_program)
```

ユーザーに命令の文字の使い方を教える文章だ

ここまでが文字列としてあつかわれるぞ

ポップアップウィンドウを開くためのデータを集めているよ

ポップアップウィンドウに表示する文字をセットしているよ

ユーザーが「END」と入力するか、「Cancel」ボタンをクリックした場合にプログラムを止めるよ

関数「string_artist」にユーザーが入力した文字列をわたすんだ

11 タートルウィンドウの上に右のポップアップウィンドウが表示されるぞ。
ユーザーはタートルへの命令を書いた文字列を入力できるんだ。

作図命令をここに入力して「OK」ボタンをクリックすればプログラムが動くよ

作図マシン

N ＝ 新しくかき始める
U/D ＝ ペンを下げる／上げる
F100 ＝ 前方へ100歩進む
B50 ＝ 後方へ50歩進む
R90 ＝ 右へ90度回転する
L45 ＝ 左へ45度回転する

| OK | Cancel |

▲タートルを動かす

このプログラムを使えば、タートルを動かしやすくなるよ。他の図形をかくためにプログラムを起動し直す必要もないんだ。

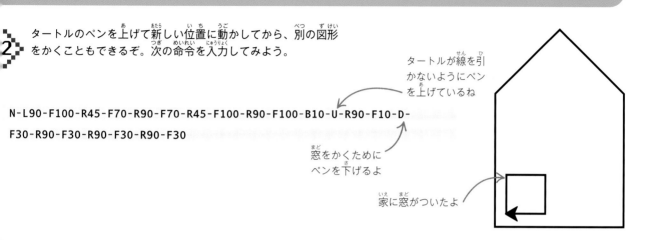

2 タートルのペンを上げて新しい位置に動かしてから、別の図形をかくこともできるぞ。次の命令を入力してみよう。

```
N-L90-F100-R45-F70-R90-F70-R45-F100-R90-F100-B10-U-R90-F10-D-
F30-R90-F30-R90-F30-R90-F30
```

タートルが線を引かないようにペンを上げているね

窓をかくためにペンを下げるよ

家に窓がついたよ

ちがうものをかいてみよう

図形にかき足す方法がわかったから、いろいろと遊べるようになるね。次の命令を入力して、フクロウの顔をかいてみよう。

```
N-F100-L90-F200-L90-F50-R60-F30-L120-F30-R60-F40-R60-F30-L120-
F30-R60-F50-L90-F200-L90-F100-L90-U-F150-L90-F20-D-F30-L90-F30-
L90-F30-L90-F30-R90-U-F40-D-F30-R90-F30-R90-F30-R90-F30-L180-U-
F60-R90-D-F40-L120-F40-L120-F40
```

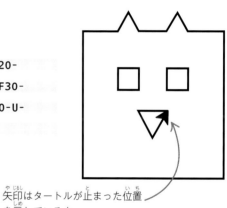

この命令では両目とくちばしをかくため、ペンを3回上げているね

矢印はタートルが止まった位置を示しているよ。

おぼえておこう

ここまでにやりとげたこと

少しずつコードを書いて、作図マシンのプログラムを完成させたね。

- フローチャートを使って、プログラムの設計をしたよ。

- 疑似コードを使って、実際にソースコードを書く前に関数を設計したよ。

- 関数「turtle_controller」を作ったね。わたされた英数字からどのようなタートル用の命令を実行すればよいか判断する関数だ。

- 関数「string_artist」を作ったね。長い文字列からタートル用の命令を切り分ける関数だ。

- インターフェースを作って、ユーザーが作図マシンでかきたいものを、キーボードで入力できるようにしたよ。

バグとデバッグ

プログラマーでも完ぺきにプログラミングできるわけではないので、まちがっているところがあるんだ。このまちがいを「バグ」とよぶよ。そしてバグを見つけて直すことを「デバッグ」というんだ。

このページも見てみよう

〈 94-95　　　エラー

〈 122-123 パイソンでのくり返し

この次は？　　　176-177〉

バグの種

プログラムで見つかりやすいバグは3種類あるぞ。「ソースコードの書き方のまちがい」「実行して初めてエラーが出るまちがい」「論理的なまちがい」の3つだ。こうしたバグを見つけて直すための方法があるんだ。

「fir」ではなくて「for」だね

```
fir i in range(5):
    print(i)
```

▲見つけやすいバグ

つづりをまちがえたり、かっこをわすれたり、字下げのやり方をまちがえるようなケースだ。

わり算では0でわってはいけないのでエラーになるよ

```
a = 0

print(10 / a)
```

▲見つけにくいバグ

実行して初めてわかるバグもある。文字列に数を足そうとしたり、わり算で0でわろうとしたときだ。

5才より小さくて、同時に8才より大きいことはありえないよ

```
if age < 5 and age > 8:
    print("入場料は無料だよ!")
```

▲とても見つけにくいバグ

この論理的なエラーを直すには「>」の代わりに「<」を使うか、5の代わりにもっと大きい数を指定しないとだめだ。

バグを見つけて直す

ソースコードの書きまちがいは、プログラムを実行したときにIDLEがまちがったところを赤く反転させるので見つけやすいんだ。実行して初めてわかるまちがいと、論理的なまちがいを見つけるのはもうちょっと大変だよ。

1 問題のあるプログラム

1から変数「top_num」の値まで、数をすべて足していくプログラムだ。合計は画面に出力されるようになっているね。

```
top_num = 5

total = 0

for n in range(top_num):
    total = total + n

print("1 から", top_num, "までの合計は", total)
```

つぎつぎと足していく数の中で、一番大きい数だよ

ユーザーに計算結果かるよう、文章を表示す

2 出力

この計算の結果は（1+2+3+4+5）になるはずだ。でも答えが「10」と表示されているぞ。なぜこうなるのか、理由をつきとめよう。

```
Sum of numbers 1 to 5 is 10
```

答えは「10」ではなくて「15」になるはずだ

3 「print」と「input」を加える

「print」命令を加えて計算の途中で何が起きているかが見えるようにしよう。「input()」命令は「Enter」キーが押されるまで、次のループに入るのを止めるために入れるよ。

```
top_num = 5
total = 0
for n in range(top_num):
    total = total + n
    print("デバッグ: n=", n, "total=", total)
    input()
print("1 から", top_num, "までの合計は", total)
```

この命令は現時点でのループ変数と合計の値を表示するためのものだよ

4 新しい出力

ループは1から5ではなく、0から4までを足していたことがわかったよ。これは特に指定がない場合は、「for」ループのループ変数は0から始まって「range」で指定したよりも1少ない数で終わるからなんだ。

```
デバッグ: n= 0 total= 0
デバッグ: n= 1 total= 1
デバッグ: n= 2 total= 3
デバッグ: n= 3 total= 6
デバッグ: n= 4 total= 10
1 から 5 までの合計は 10
```

この答えは1から5ではなく、0から4までの合計だよ

5 まちがいを直す

1から「top_num」まで数を足すには、ループ変数は1から始めて「top_num+1」までカウントしなければならないね。

新しい「range」では1から始まって「top_num」(「top_num+1」よりも1小さい数)で終わるよ

```
top_num = 5
total = 0
for n in range(1, top_num + 1):
    total = total + n
    print("デバッグ: n=", n, "total=", total)
    input()
print("1 から", top_num, "までの合計は", total)
```

6 正しい出力

「print」命令は、プログラムが1から5までを足して正しい答えを出したよ。これでバグは直ったね。

```
デバッグ: n= 1 total= 1
デバッグ: n= 2 total= 3
デバッグ: n= 3 total= 6
デバッグ: n= 4 total= 10
デバッグ: n= 5 total= 15
1 から 5 までの合計は 15
```

「n=3」のときのtotalは(1+2+3)だよ

正しい答えが表示されたよ

アルゴリズム

アルゴリズムは何なにかの問もん題だいを解とくためのまとまった命めい令れいのことだよ。同おなじことをする場ば合あいでも、アルゴリズムによって処しょ理り時じ間かんが短みじかかったり、作さ業ぎょうの量りょうが少すくなかったりするんだ。番ばん号ごうを順じゅん番ばんに並ならべるというかんたんな仕し事ごとでも、アルゴリズムは1つだけではないんだよ。

このページも見みてみよう

❮ 16-17 コンピューターのように考かんがえよう

ライブラリー　152-153 ❯

挿そう入にゅうソート

ここにクラスのみんなのテストの答とう案あんがあるとしよう。これを点てん数すうの低ひくい方かたから順じゅんに並ならべてみる。「挿そう入にゅうソート」では先せん頭とうにソート（「並ならべかえる」という意い味みだよ）がすんだものを集あつめておいて、他ほかの答とう案あんを正ただしい位い置ちに指さしこんでいくんだ。

▲ 順じゅん番ばんを並ならびかえる

「挿そう入にゅうソート」は答とう案あんを1枚まいずつ正ただしい位い置ちに入いれていくよ。

▼ 実じっ際さいの並ならびかえ

「挿そう入にゅうソート」は1つ1つ順じゅんに作さ業ぎょうをしていくよ。人にん間げんだと時じ間かんがかかるけど、コンピューターはすぐにできるんだ。

位い置ちを数かぞえるときは0から始はじめるぞ

| 0 | 1 | 2 | 3 | 4 | 5 |

6を位い置ち1に指さしこむ

| 2 | 6 | 5 | 1 | 4 | 3 |

6は2より大おおきいのでこのままの位い置ちだ

5を位い置ち1に指さしこむ

| 2 | 6 | 5 | 1 | 4 | 3 |

5は2と6の間あいだなので位い置ち1に入いれ、6を位い置ち2に動うごかすよ

1を位い置ち0に指さしこむ

| 2 | 5 | 6 | 1 | 4 | 3 |

1は2より小ちいさいので位い置ち0に入いれ、2、5、6が右みぎにずれる

4を位い置ち2に指さしこむ

| 1 | 2 | 5 | 6 | 4 | 3 |

4は2と5の間あいだから位い置ち2に入いるよ。5と6は右みぎにずれる

3を位い置ち2に指さしこむ

| 1 | 2 | 4 | 5 | 6 | 3 |

ソート（並ならびかえ）完かん了りょう

| 1 | 2 | 3 | 4 | 5 | 6 |

4、5、6を右みぎにずらして、空あいた位い置ち2に3が入はいる

選択ソート

「選択ソート」は「挿入ソート」とはちがう動きをするよ。1つずつアイテムをずらすのではなく、選んだ2つのアイテムの位置を入れかえるんだ。

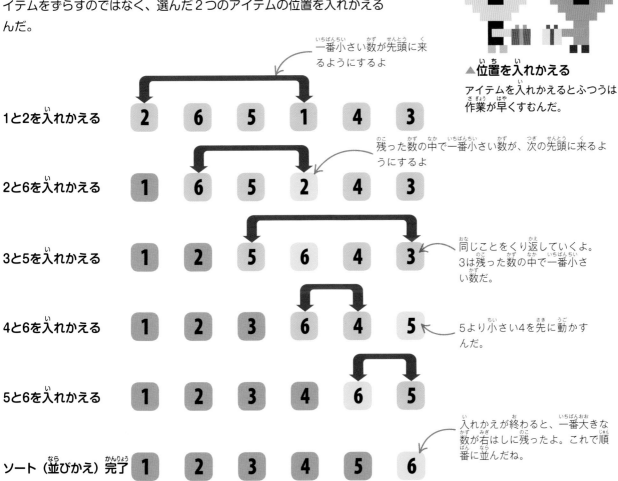

▲位置を入れかえる
アイテムを入れかえるとふつうは作業が早くすむんだ。

一番小さい数が先頭に来るようにするよ

1と2を入れかえる

残った数の中で一番小さい数が、次の先頭に来るようにするよ

2と6を入れかえる

同じことをくり返していくよ。3は残った数の中で一番小さい数だ。

3と5を入れかえる

5より小さい4を先に動かすんだ。

4と6を入れかえる

5と6を入れかえる

入れかえが終わると、一番大きな数が右はしに残ったよ。これで順番に並んだね。

ソート（並びかえ）完了

■■■ うまくなるヒント

パイソンでのソート

ここで紹介した以外にも、いろいろなソートのアルゴリズムがあるよ。どれも長所と短所があるんだ。パイソンの「sort()」関数が使っている「ティムソート」は、発明者のティム・ピータースの名をとったものだよ。どのように動くのか、右のソースコードで試してみよう。

「a」はソートしていないリストだよ

「sort()」関数をよび出しているよ

ちゃんとソートされたね

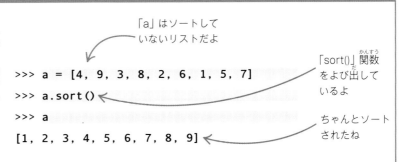

```
>>> a = [4, 9, 3, 8, 2, 6, 1, 5, 7]
>>> a.sort()
>>> a
[1, 2, 3, 4, 5, 6, 7, 8, 9]
```

ライブラリー

新しくソースコードを書くのは手間がかかるから、他のソースコードを使い回しできれば便利だね。このように再利用できるソースコードを集めたものが「ライブラリー」なんだ。

このページも見てみよう

ウィンドウを作る	154–155 ▶
色と座標	156–157 ▶

標準ライブラリー

パイソンには「Standard Library」（標準ライブラリー）というものがあって便利なソースコードがたくさん入っているよ。ライブラリーは使い道ごとにグループ分けされていて、それぞれのグループを「モジュール」というんだ。

◀ すぐに使えるよ

パイソンには「バッテリー」がついている。準備をしなくても、すぐにモジュールのソースコードを使えるという意味だよ。

◀ randomモジュール

このモジュールで乱数を作れるよ。リストのアイテムの並び方を、ランダムに変えることもできるんだ。

▼ turtleモジュール

画面上に線を引いたり図をかくのに使うよ。

▲ timeモジュール

時間や日付を調べたり、日付の計算をするためのモジュールだ。例えば3日後の曜日を調べるような場合に使うよ。

▼ tkinterモジュール

ボタンやウィンドウのように、ユーザーとプログラムが情報をやりとりするときに便利な、画面表示の機能を作るためのものだよ。

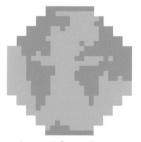

▲ socketモジュール

インターネットなどのネットワークで、コンピューター同士をつなぐときに利用できるモジュールだ。

▶ mathモジュール

ふくざつな計算をするときには、このモジュールを使おう。

モジュールの読みこみ

モジュールを使う前に、コンピューターにモジュールを読みこむよう伝えておこう。この作業をしておけば、モジュールの中のソースコードを使えるよ。モジュールを読みこむには「import」命令を使ってね。モジュールの読みこみ方はいくつかあるよ。これから見ていこう。

```
import random
```

```
random.randint(1, 6)
random.choice(my_list)
```

関数の前にモジュールの名前を書くよ

◀「import random」

これは必要なモジュールの名前をソースコードの最初に書いておく方法だよ。どのモジュールを読みこむかがわかるので、ソースコードが読みやすくなるね。

▶「from random import*」

この方法は小さいプログラムで使うのには便利だけど、大きなプログラムではソースコードを読みにくくしてしまうかもしれないよ。関数がどのモジュールのものかがはっきり示されていないんだ。

randomモジュールのすべての関数を読みこむよ

```
from random import *
```

```
randint(1, 6)
choice(my_list)
```

どのモジュールの関数なのかが書かれていないね

「randint」関数だけを読みこむよ

```
from random import randint
```

```
randint(1, 6)
```

randomモジュールの中で「randint」関数だけが使えるんだ

◀「from random import randint」

モジュールの中の関数を1つだけ読みこむこともできるよ。特定の関数しか使わないのなら、モジュール全体を読みこむよりも手軽に使えるね。

ヘルプとマニュアル

モジュールの使い方がわからなければ、ヘルプを見てみよう。ヘルプでは英語版しか表示されないけれど、https://docs.python.org/ja/3/ で日本語のドキュメントが公開されている。ライブラリー、モジュール、関数について学べば、モジュールの関数と同じ働きをするプログラムを、わざわざ自分で書かなくてもすむようになるよ。

Help
About IDLE
IDLE Help
Python Docs

◀ヘルプ

IDLEのウィンドウの一番上の「Help」をクリックして「Ptython Docs」を選ぼう。新しいウィンドウが開いて、役に立つ情報が表示されるよ。ただし今は英語で書かれているよ。

ウィンドウを作る

ユーザーが操作するためのウィンドウやボタンを作ってみよう。こうしたウィンドウやボタンを「グラフィカルユーザーインターフェース」とか「GUI」（「グイ」と読むよ）とよぶよ。

このページも見てみよう

色と座標 　　　　　156–157 ▶

図形をかく 　　　　158–159 ▶

グラフィックスを　　160–161 ▶
変化させる

かんたんなウィンドウ

まずウィンドウを作ってみよう。パイソンの標準ライブラリーの tkinter モジュールが、かんたんなウィンドウを作るのに使えるぞ。

1 ソースコード
次のソースコードでtkinterモジュールを読みこんで、新しいウィンドウを作れるよ。

```
from tkinter import *
window = Tk()
```

ライブラリーからtkinterモジュールを読みこんでいるよ

これだけで新しいウィンドウが作れるよ

2 tkinterウィンドウ
プログラムを実行するとウィンドウが出てくるぞ。

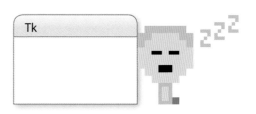

ウィンドウにボタンを足す

ボタンをつけ足してもっと使いやすくしよう。押すボタンによってちがうメッセージが表示されるようにするよ。

1 ボタンを２つ作る
次のソースコードを入力して、ボタンが２つあるウィンドウを作ろう。

ボタンAを押すとこのメッセージが表示されるよ

ボタンBを押すとこのメッセージが表示されるよ

ボタンAの上に表示される文章だ

ボタンがクリックされたときに実行される関数を決めているよ

ボタンBの上に表示される文章だ

ウィンドウにボタンを表示させるよ

```
from tkinter import *
def bAaction():
        print("ありがとう!")
def bBaction():
        print("いたい! ひどいじゃないか!")
window = Tk()
buttonA = Button(window, text="押して!", command=bAaction)
buttonB = Button(window, text="押さないでよ!", command=bBaction)
buttonA.pack()
buttonB.pack()
```

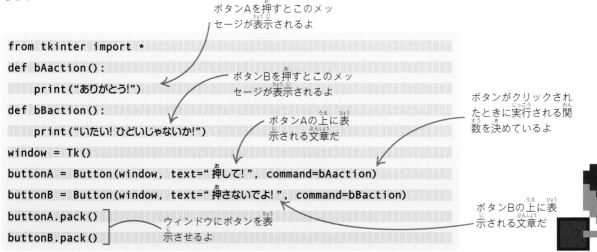

2 ボタンをクリックして メッセージを出す

プログラムを実行すると、2つのボタンがあるウィンドウがあらわれるぞ。ボタンをクリックして、ボタンごとにちがうメッセージが出るか見てみよう。これでユーザーの操作に反応してメッセージを表示するGUIを作れたね。

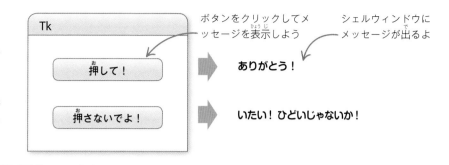

ボタンをクリックしてメッセージを表示しよう

シェルウィンドウにメッセージが出るよ

ありがとう！

いたい！ ひどいじゃないか！

サイコロをふる

tkinter モジュールを使って、かんたんなアプリケーションの GUI を作ってみよう。次のソースコードでサイコロをふるのと同じようなことができるぞ。

1 サイコロのシミュレーター

ボタンをクリックすると、関数「roll()」を実行して1から6の間の数をランダムに表示するよ。

```python
from tkinter import *
from random import randint
def roll():
    text.delete(0.0, END)
    text.insert(END, str(randint(1,6)))
window = Tk()
text = Text(window, width=1, height=1)
buttonA = Button(window, text=" ここを押してサイコロをふろう ", command=roll)
text.pack()
buttonA.pack()
```

ライブラリーのrandomモジュールから「randint」関数を読みこんでいるね

テキストボックスの中を消して、1から6の間でランダムに選ばれた数をセットしているよ

数を表示するためのテキストボックスを作るよ

ボタンがクリックされたときに実行する関数を指定しているね

ウィンドウにテキストボックスとボタンを表示させるよ

ボタンの上にこの文章が表示されるぞ

2 サイコロをふろう

プログラムを実行してサイコロをふってみよう。ボタンをクリックしてどんな数が出るか試してみよう。このプログラムはちょっと変えるだけで、12面のサイコロにしたり、コインの表か裏を出すようなことも実現できるよ。

ボタンをクリックするたびに、新しく選ばれた数が出てくるよ

見やすくシンプルに

GUIを設計するときは、ボタンをたくさん出してユーザーをまどわせないようにしよう。ボタンの上にわかりやすい名前や文章を表示して、使いやすいアプリケーションにしよう。

色と座標

コンピューターが画面に表示するグラフィックスは、ピクセルという色のついた小さな点が集まったものなんだ。グラフィックスを表示するには、ピクセルごとにどの色を使うかを指示しなければならないよ。

このページも見てみよう

‹ 154–155 ウィンドウを
作る

図形をかく　158–159 ›

グラフィックスを　160–161 ›
変化させる

色を選ぶ

どのような色かをコンピューターがわかるような形であらわすのは大事なことだね。tkinter モジュールには色をあらわすのに役立つツールがあるよ。

1 色を選ぶツールを動かす

次のソースコードをシェル・ウィンドウに入力すれば、tkinterモジュールから色を選ぶためのツールが起動できるよ。

tkinterモジュールの関数
すべてを読みこんでいるよ

```
>>> from tkinter import *
>>> t = Tk()
>>> colorchooser.askcolor()
```

「color」はアメリカ英語の
つづりで「色」という意味だ

うまくなるヒント

色をまぜる

ピクセルごとに赤、緑、青の光を放っているよ。この3つの色をまぜることで、どんな色でも作れるんだ。

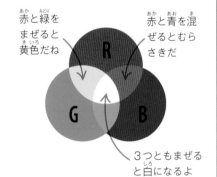

赤と緑を
まぜると
黄色だね

赤と青を混
ぜるとむら
さきだ

3つともまぜる
と白になるよ

2 色を選ぶ

「color」というパレットが開くよ。使いたい色を選んで「OK」ボタンをクリックしよう。

このウィンドウで色を
細かく指定できるよ

使いたい色を選んで
クリックしよう

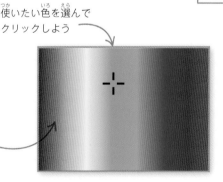

3 色の値

色が選ばれると、数が入ったリストがシェル・ウィンドウに表示される。この数は選んだ色を作るために赤、緑、青をどれくらいまぜればいいかを示しているんだ。

```
((60.234, 190.742, 52.203), "#3cbe34")
```

赤の値　　緑の値　　青の値　　十六進法（182から
183ページを見てね）
であらわした色の番号

キャンバスにかく

パイソンでグラフィックスをかくには、何もかかれていないエリアを作らないといけないね。このかくためのエリアをキャンバスというんだ。キャンバスのどこにかくかはx座標とy座標を使って正確に指示できるよ。

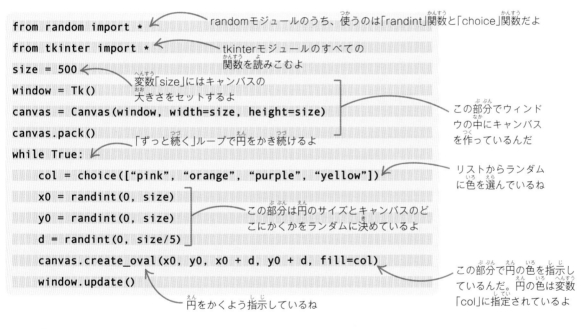

■ ■ うまくなるヒント

座標

tkinterモジュールでは左上が原点 (0,0) になっていて、右に行くほどx座標の値が大きくなり、下に行くほどy座標の値が大きくなるよ。

⟶ +x

■ (0,0)

+y

■ (300,50)

■ (50,100)

■ (250,200)

1 グラフィックスのプログラム
次のプログラムを実行してウィンドウを開き、そこにキャンバスを置こう。それからいろんな大きさの円をランダムにかいてみよう。

```
from random import *
from tkinter import *
size = 500
window = Tk()
canvas = Canvas(window, width=size, height=size)
canvas.pack()
while True:
    col = choice(["pink", "orange", "purple", "yellow"])
    x0 = randint(0, size)
    y0 = randint(0, size)
    d = randint(0, size/5)
    canvas.create_oval(x0, y0, x0 + d, y0 + d, fill=col)
    window.update()
```

randomモジュールのうち、使うのは「randint」関数と「choice」関数だよ

tkinterモジュールのすべての関数を読みこむよ

変数「size」にはキャンバスの大きさをセットするよ

この部分でウィンドウの中にキャンバスを作っているんだ

「ずっと続く」ループで円をかき続けるよ

リストからランダムに色を選んでいるね

この部分は円のサイズとキャンバスのどこにかくかをランダムに決めているよ

この部分で円の色を指示しているんだ。円の色は変数「col」に指定されているよ

円をかくよう指示しているね

2 色をぬったキャンバス
プログラムを実行すると、キャンバスに色のついた円をかき始めるよ。

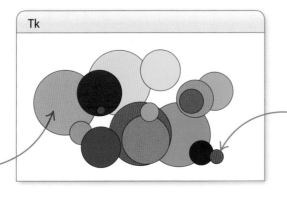

Tk

円のサイズもランダムに決まるんだ

ランダムに決められた位置に円ができるぞ

図形をかく

tkinterモジュールはウィンドウやボタンを表示したり、色をぬっ
たりするだけでなく、図形をかくのにも使えるよ。

このページも見てみよう

グラフィックスを　160–161 ❯
変化させる

イベントに　162–163 ❯
反応する

基本的な図形をかく

長方形とだ円は、いろいろなものをかくのに便利な図形だよ。キャ
ンバスができたら次のソースコードを使って図形をかいてみよう。

```
>>> from tkinter import *
>>> window = Tk()
>>> drawing = Canvas(window, height=500, width=500)
>>> drawing.pack()
>>> rect1 = drawing.create_rectangle(100, 100, 300, 200)
>>> square1 = drawing.create_rectangle(30, 30, 80, 80)
>>> oval1 = drawing.create_oval(100, 100, 300, 200)
>>> circle1 = drawing.create_oval(30, 30, 80, 80)
```

図形をかくためのキャンバスを作る

長方形をかくよ

円をかくよ

円の位置とサイズだね

キャンバスのサイズだね

座標を使って長方形
の位置とサイズを決
めているよ

正方形は長方形の辺の長
さを同じにすればいいね

座標を使ってかく

座標を使って図形をかく位置を細かく指定できるよ。最初の数
（x座標）は画面の左はしからどれだけはなれているか、2番
目の数（y座標）は画面の上からどれだけはなれているかをあ
らわしているよ。

```
>>> drawing.create_rectangle(50, 50, 350, 250)
```

キャンバスの名前だね

左上の頂点の座標

右下の頂点の座標

▲座標をセットする

4つの数のうち、前の2つは長方形
の左上の頂点、あとの2つは右下の
頂点の座標だよ。

▼座標

この長方形は、左上の頂点の座標が
(50, 50)、右下の座標が(350, 250)だ
ね。

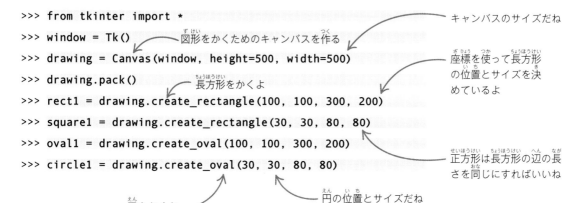

(x1=50, y1=50)

(x2=350, y2=250)

図形に色をつける

色がついた図形もかけるよ。それぞれの図形で、輪かくと
内側（「fill」）をちがう色にすることもできるんだ。

輪かくは赤くして、内側
は青でぬりつぶすよ

```
>>> drawing.create_oval(30, 30, 80, 80, outline="red", fill="blue")
```

エイリアンをかこう

図形を組み合わせれば、いろんなものがかけるよ。だ円、線、
三角形を組み合わせて、エイリアンをかくためのソースコード
だ。さっそく試してみよう。

1 エイリアンをかく

エイリアンの各部分についてどのような形を使うか、サイズ、
キャンバス上での位置、色を決めなければならないよ。図形には1
つ1つ番号がふられていて、その番号は変数にセットされているよ。

```
from tkinter import *
window = Tk()
window.title("エイリアン")
c = Canvas(window, height=300, width=400)
c.pack()
body = c.create_oval(100, 150, 300, 250, fill="green")
eye = c.create_oval(170, 70, 230, 130, fill="white")
eyeball = c.create_oval(190, 90, 210, 110, fill="black")
mouth = c.create_oval(150, 220, 250, 240, fill="red")
neck = c.create_line(200, 150, 200, 130)
hat = c.create_polygon(180, 75, 220, 75, 200, 20, fill="blue")
```

ウィンドウのタイトルに表示する
「エイリアン」という文字列だ

キャンバスを作っているね

緑のだ円をエイリアン
の体にするよ

黒い点を目の
中にかくよ

赤いだ円
は口だね

青い三角形は
エイリアンの
ぼうしだよ

2 エイリアンが出たぞ！

ソースコードを入力した
ら、プログラムを動かしてエイ
リアンをかいてみよう。緑の体
に赤い口、目は1つで、青いぼ
うしをかぶっているぞ。

完成したエイリアン

グラフィックスを変化させる

キャンバスにかいたグラフィックをそのままにしておくのはもったいないよ。見た目を変えたり、動き回るようにもできるんだ。

このページも見てみよう

❮ 158–159　図形をかく

イベントに反応する　162–163 ❯

図形を動かす

キャンバス上で図形を動かすには、コンピューターに何をどこに動かすかを指示しないといけないよ。動かす図形は名前か番号で指定しよう。

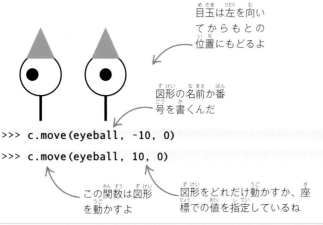

目玉は左を向いてからもとの位置にもどるよ

図形の名前か番号を書くんだ

```
>>> c.move(eyeball, -10, 0)
>>> c.move(eyeball, 10, 0)
```

この関数は図形を動かすよ

図形をどれだけ動かすか、座標での値を指定しているね

色を変えてみる

だ円の色を変えるだけで、口を開いたりとじたりしているように見えるよ。

1 ソースコード

口の色を変える関数を2つ作ろう。159ページのソースコードに続けて入力してね。

関数「itemconfig()」は、キャンバスにかいてある図形を変化させるよ

```
def mouth_open():
    c.itemconfig(mouth, fill="black")
def mouth_close():
    c.itemconfig(mouth, fill="red")
```

図形の名前だ

口を開いたときは黒くぬるよ

口をとじたときは赤くぬるよ

おぼえておこう

意味のある名前

図形にはわかりやすい名前をつけよう。この本の中では「eyeball」（「目玉」という意味）や「mouth」（「口」という意味）という名前にしているよ。

◀ 目玉を動かす

左のソースコードをシェル・ウィンドウに入力して、目玉をまず左に動かし、それから元にもどしてみよう。

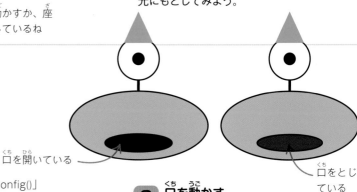

口を開いている

口をとじている

2 口を動かす

ソースコードを実行してから次のようにシェル・ウィンドウに入力してみよう。

```
>>> mouth_open()
>>> mouth_close()
```

このように入力すると、エイリアンが口を開けたりとじたりするよ

図形をかくす

「itemconfig()」関数を使うと図形をかくせるよ。目を
かくして、少しあとにもう一度表示すれば、エイリアン
がまばたきしたように見えるよ。

◀ **まばたきするエイリアン**

エイリアンにまばたきさせる
には、目を緑にぬらなければ
ならないよ。

1 まばたきさせるための関数

エイリアンにまばたきをさせてみよう。さっき書いた
ソースコード（160ページ）に続けて入力してね。

白い目を
緑色に変
えるんだ

```
def blink():
    c.itemconfig(eye, fill="green")
    c.itemconfig(eyeball, state=HIDDEN)
def unblink():
    c.itemconfig(eye, fill="white")
    c.itemconfig(eyeball, state=NORMAL)
```

図形の名前だよ

目の部分を
かくすよ

目の色をまた
白くするよ

目の部分をもう
一度表示するよ

2 まばたきさせる

ソースコードを実行してからシェ
ル・ウィンドウに次のように入力しよう。

```
>>> blink()
>>> unblink()
```

「unblink()」
関数は目を開
かせるよ

しゃべらせる

画面に文章を表示して、エイリアンにしゃべらせることもで
きるよ。ユーザーの操作に応じて、話す内容を変えることも
できるんだ。

1 文章をつけ加える

このソースコードを追加すれば、
エイリアンのグラフィックに文章を追加
できるよ。ぼうしをとってしまおう！

キャンバスで文章
を表示する位置だ

```
words = c.create_text(200, 280, text=" 私はエイリアンだ！")
def steal_hat():
    c.itemconfig(hat, state=HIDDEN)
    c.itemconfig(words, text=" ぼうしを返してよ！")
```

ぼうしをかくす

私はエイリアンだ！

エイリアンのセリフはク
ォーテーションで囲む

ぼうしが消えると同時に、
エイリアンが「ぼうしを
返してほしい」と言うよ

新しいメッセージ
が表示されるぞ

ぼうしを返してよ！

2 ぼうしをとる

ソースコードを実行してからシェル・ウィンド
ウで次のように入力して、何が起きるか見てみよう。

```
>>> steal_hat()
```

このように入力してぼうしをとってしまおう。

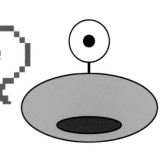

イベントに反応する

コンピューターはキーボードのキーが押されたり、マウスが動かされたりすると、合図を受けとるようになっているんだ。この合図を「イベント」というよ。

このページも見てみよう

❮ 158-159　図形をかく

❮ 160-161　グラフィックスを変化させる

イベントの名前

マウスやキーボードのような入力用の装置によって、いろいろなイベントが起きるよ。tkinter モジュールでは、そうしたイベントに名前をつけているんだ。

マウスのイベント

<Button-1>

マウスの左ボタンがクリックされた

<Button-3>

マウスの右ボタンがクリックされた

<Right>

右向き矢印キーが押された

<Left>

左向き矢印キーが押された

<space>

スペースキーが押された

キーボードのイベント

<Up>

上向き矢印キーが押された

<Down>

下向き矢印キーが押された

<KeyPress-a>

「A」キーが押された

マウスのイベント

マウスのイベントに反応させるには、関数をイベントにリンクさせる（「バインドさせる」ともいうよ）だけでいいんだ。関数「burp」を作って「<Button-1>」イベントとリンクさせてみよう。

エイリアンが表示されるウィンドウを画面の一番手前に持ってくるよ

```
window.attributes("-topmost", 1)
def burp(event):
    mouth_open()
    c.itemconfig(words, text="げっぷ!")
c.bind_all("<Button-1>", burp)
```

関数「burp」を作るよ

マウスの左ボタンのクリックと関数「burp」をリンクさせるぞ

げっぷ!

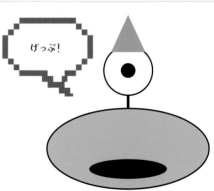

▲**げっぷするエイリアン**

マウスの左ボタンをクリックするとエイリアンがげっぷをするよ。

キーボードのイベント

マウスのボタンと同じように、キーボードのキーにも関数をリンクさせられるよ。次のソースコードをエイリアンのプログラムに追加しよう。「A」キーと「Z」キーが押されたときにエイリアンがまばたきするぞ。

```python
def blink2(event):
    c.itemconfig(eye, fill="green")
    c.itemconfig(eyeball, state=HIDDEN)
def unblink2(event):
    c.itemconfig(eye, fill="white")
    c.itemconfig(eyeball, state=NORMAL)
c.bind_all("<KeyPress-a>", blink2)
c.bind_all("<KeyPress-z>", unblink2)
```

目を緑色にしてとじさせるよ

目の部分をかくすよ

目の部分を表示するよ

ここで関数をイベントにリンクさせているぞ

関数「unblink2」を「Z」キーにリンクさせたね

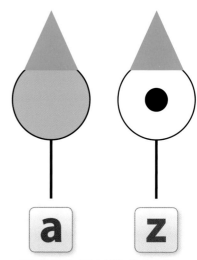

▲**エイリアンにまばたきさせる**
このソースコードを実行して「A」キーを押すと目をとじ、「Z」キーを押すと目を開くよ。

キーの操作で動かす

キーボードのキーを押してエイリアンの目玉を動かすこともできるよ。次のソースコードでは矢印キーを、エイリアンの目玉を動かす関数とリンクさせているね。

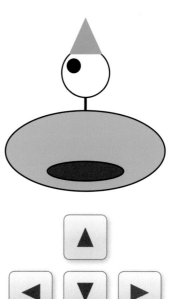

```python
def eye_control(event):
    key = event.keysym
    if key == "Up":
        c.move(eyeball, 0, -1)
    elif key == "Down":
        c.move(eyeball, 0, 1)
    elif key == "Left":
        c.move(eyeball, -1, 0)
    elif key == "Right":
        c.move(eyeball, 1, 0)
c.bind_all("<Key>", eye_control)
```

押されたキーの名前を調べるよ

上向き矢印キーが押されたら目玉を上に動かすよ

左向き矢印キーが押されたら目玉を左に動かすよ

何かキーが押されたら、関数「eye_control」を動かすぞ

▲**目玉を動かす**
押された矢印キーの向きに合わせて目玉が動くよ。

▶ プロジェクト7

せん水かんゲーム

このページも見てみよう

❮ 154–155 　ウィンドウを作る

❮ 156–157 　色と座標

❮ 158–159 　図形をかく

このプロジェクトではここまでに習ったことをすべて生かしてゲームを作るぞ。大きなプロジェクトなので少しずつ進めていくよ。途中でプログラムをセーブするのをわすれないように。このプロジェクトが終わったときには、友だちといっしょに遊べるゲームが完成しているよ。

ゲームの目的

ソースコードを書き始める前にゲーム全体のデザインを練っておこう。ゲームをどのように動かしたらよいかもチェックするよ。ゲームをプレイするときの主なルールをまとめてみたよ。

- プレイヤーは「せん水かん」をそうじゅうする

- 矢印キーで「せん水かん」を動かす

- 水中の「あわ」をわるとポイントになる

- ゲーム開始時にタイマーを30秒にセットする

- 1000ポイントをかくとくするとゲーム時間がふえる

- 時間切れになったらゲームが終わる

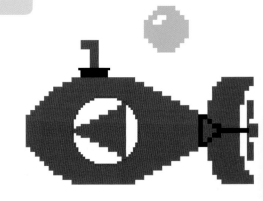

ウィンドウとせん水かんを作る

画面を作るところから始めるよ。IDLE で新しいコード・ウィンドウを開こう。次のソースコードを入力して、ゲーム用のウィンドウとプレイヤーがそうじゅうするせん水かんを作るんだ。

せん水かんゲーム

| IDLE | File | Edit | Shell | Debug | Window | Help |

1 tkinterモジュールを使って、「グラフィカルユーザーインターフェース」（GUI）を作ろう。このソースコードはメインのウィンドウを作るためのものだよ。

```
from tkinter import *
HEIGHT = 500
WIDTH = 800
window = Tk()
window.title("せん水かんゲーム")
c = Canvas(window, width=WIDTH, height=HEIGHT, bg="darkblue")
c.pack()
```

ウィンドウのサイズ
を決めるんだ

ゲームのタイトルだよ

背景の海をあらわす
ために色はダークブ
ルーにしたよ

図形をかくためのキャン
バスをセットする

せん水かんは三角形
を円で囲んだ図形で
あらわすよ

2 このゲームでは、せん水かんはシンプルな図形であらわすんだ。tkinterモジュールの関数を使って図形をかこう。次のソースコードを入力して実行してみよう。

せん水かん用の赤
い三角形をかくよ

```
ship_id = c.create_polygon(5, 5, 5, 25, 30, 15, fill="red")
ship_id2 = c.create_oval(0, 0, 30, 30, outline="red")
SHIP_R = 15
MID_X = WIDTH / 2
MID_Y = HEIGHT / 2
c.move(ship_id, MID_X, MID_Y)
c.move(ship_id2, MID_X, MID_Y)
```

三角形のまわりに
赤い円をかくんだ

せん水かん用の円の半径（サイズ）を決めるよ

変数「MID_X」と「MID_Y」に画面中央の座標を
セットするよ

せん水かんを作る2つの
図形を画面中央に置くよ

セーブを
わすれないように

せん水かんゲーム

せん水かんを動かす

次は矢印キーが押されたときにせん水かんを動かすためのソースコードだ。「イベントハンドラ」と呼ばれる関数を作るよ。イベントハンドラはどのキーが押されたかをチェックして、せん水かんを動かすんだ。

3 次のソースコードを入力して、「move_ship」という関数を作ろう。この関数は矢印キーが押されたときに、せん水かんを正しい方向に動かすよ。試しに動かしてみよう。

キーが1回押されるごとに、せん水かんはこれだけ動くよ

```python
SHIP_SPD = 10

def move_ship(event):
    if event.keysym == "Up":
        c.move(ship_id, 0, -SHIP_SPD)
        c.move(ship_id2, 0, -SHIP_SPD)
    elif event.keysym == "Down":
        c.move(ship_id, 0, SHIP_SPD)
        c.move(ship_id2, 0, SHIP_SPD)
    elif event.keysym == "Left":
        c.move(ship_id, -SHIP_SPD, 0)
        c.move(ship_id2, -SHIP_SPD, 0)
    elif event.keysym == "Right":
        c.move(ship_id, SHIP_SPD, 0)
        c.move(ship_id2, SHIP_SPD, 0)
c.bind_all("<Key>", move_ship)
```

上向き矢印キーが押されたとき、せん水かんの2つの部品（三角形と円）を上に動かす。

下向き矢印キーが押されたとき、せん水かんを下に動かすためのコードだ

左向き矢印キーが押されると、せん水かんは左に動くよ

右向き矢印キーが押されたとき、せん水かんを右に動かすぞ

何かのキーが押されたら「move_ship」を実行するよ

上へ行くとy座標の値がへるよ

左へ行くとx座標の値がへるよ

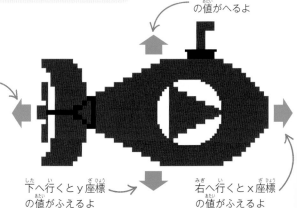

下へ行くとy座標の値がふえるよ

右へ行くとx座標の値がふえるよ

セーブをわすれないように

▶どのように動くのかな

「move_ship」関数は、押されたキーによってせん水かんをちがう方向に動かすよ。右と下に動かす場合はせん水かんの座標の値をふやし、左と上に動かすときはへらすんだ。

「あわ」を用意する

せん水かんが動くようになったね。今度はせん水かんがわるための「あわ」を作ろう。「あわ」はどれもちがうサイズで、ちがうスピードで動くよ。

4 「あわ」ごとにIDナンバー、サイズ、スピードを決めなければならないよ。IDナンバーは、プログラムが「あわ」を1つ1つ見わけるために使うぞ。

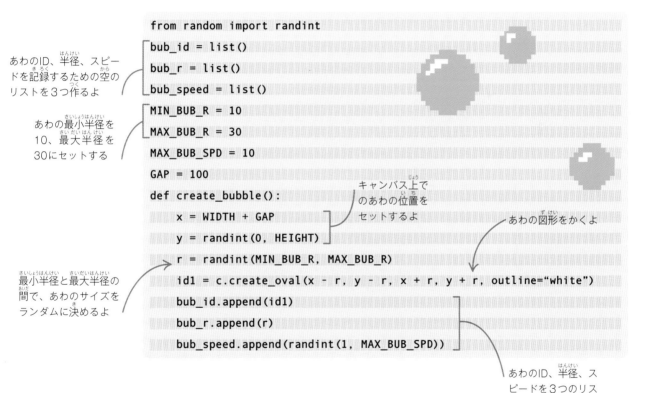

あわのID、半径、スピードを記録するための空のリストを3つ作るよ

あわの最小半径を10、最大半径を30にセットする

キャンバス上でのあわの位置をセットするよ

あわの図形をかくよ

最小半径と最大半径の間で、あわのサイズをランダムに決めるよ

```python
from random import randint
bub_id = list()
bub_r = list()
bub_speed = list()
MIN_BUB_R = 10
MAX_BUB_R = 30
MAX_BUB_SPD = 10
GAP = 100
def create_bubble():
    x = WIDTH + GAP
    y = randint(0, HEIGHT)
    r = randint(MIN_BUB_R, MAX_BUB_R)
    id1 = c.create_oval(x - r, y - r, x + r, y + r, outline="white")
    bub_id.append(id1)
    bub_r.append(r)
    bub_speed.append(randint(1, MAX_BUB_SPD))
```

あわのID、半径、スピードを3つのリストにセットするよ

■ ■ ■ **うまくなるヒント**

あわのリスト

3つのリストは、それぞれのあわの情報を保管するのに使うぞ。ゲーム開始時にはリストは空だけど、あわを作るたびにその情報が加えられていくよ。3つのリストは、あわについてそれぞれちがう種類の情報を持っているんだ。

bub_id：あわのIDナンバーを保管して、あとでプログラムがあわを動かせるようにするよ。
bub_r：あわの半径（サイズ）を保管するよ
bub_speed：あわが画面を動くスピードを保管するよ

セーブをわすれないように

せん水かんゲーム

あわを動かす

これであわのID、サイズ、スピードを保管したリストができたね。サイズとスピードはランダムに決まるよ。次のステップでは、あわを画面の右から左へと動かすためのソースコードを書こう。

5 この関数は、あわのリストを最初から最後まで読んで、あわを順番に動かすよ。

リストの中のあわの情報を順に見ていくよ

```python
def move_bubbles():
    for i in range(len(bub_id)):
        c.move(bub_id[i], -bub_speed[i], 0)
```

リストで指定されたスピードに合わせて、画面上のあわを動かすよ

timeモジュールから必要な関数を読みこむよ

6 このソースコードがゲームが動いている間はずっと動き続けるんだ。試しに実行してみよう。

セーブをわすれないように

```python
from time import sleep, time
BUB_CHANCE = 10
#メインのループ
while True:
    if randint(1, BUB_CHANCE) == 1:
        create_bubble()
    move_bubbles()
    window.update()
    sleep(0.01)
```

1から10の間で乱数を作るよ

乱数が1だった場合は、プログラムは新しいあわを作るんだ。だいたい10回に1回の割合であわができるよ

関数「move_bubbles」を実行するよ

ウィンドウを表示し直して、新しい位置にあわを書き直すんだ

プレイしやすいよう、ゲームのスピードを落とすよ

7 IDナンバーから特定のあわがどこにあるのかを見つける関数を作ろう。このソースコードはステップ5で書いたソースコードのすぐうしろ（ステップ6のソースコードの前）に書き足してね。

```python
def get_coords(id_num):
    pos = c.coords(id_num)
    x = (pos[0] + pos[2])/2
    y = (pos[1] + pos[3])/2
    return x, y
```

あわの中心のx座標を計算しているよ

あわの中心のy座標を計算しているよ

(x0, y0)

(x, y)

(x1, y1)

▲**あわの位置を計算する**
あわを囲む四角形の頂点の位置から、向かい合う頂点と頂点の中間を計算するんだ。

あわをわる方法

プレイヤーはせん水かんで「あわ」をわるとポイントになる。せん水かんにわられたり、画面の外に流れていったあわは画面から消さなければいけないね。次の２つの関数はそのためのものだよ。

8 この関数であわをゲームから取り去るよ。リストからも画面からも消してしまうんだ。このソースコードはステップ7で書いたソースコードのすぐうしろに書いてね。

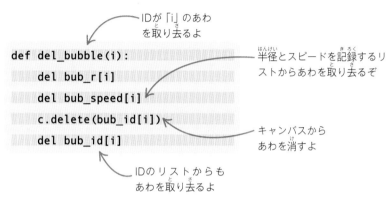

IDが「i」のあわを取り去るよ

半径とスピードを記録するリストからあわを取り去るぞ

```python
def del_bubble(i):
    del bub_r[i]
    del bub_speed[i]
    c.delete(bub_id[i])
    del bub_id[i]
```

キャンバスからあわを消すよ

IDのリストからもあわを取り去るよ

9 右のソースコードを入力して、画面の外に流れていったあわを消す関数を作ろう。ステップ8のソースコードに続けて書いてね。

あわのリストの最後から先頭へと逆に読んでいくんだ

```python
def clean_up_bubs():
    for i in range(len(bub_id)-1, -1, -1):
        x, y = get_coords(bub_id[i])
        if x < -GAP:
            del_bubble(i)
```

あわがどこにあるかを見つけるよ

あわが画面の外に出たら消してしまうんだ

10 ステップ6で作ったメインのループを改良するよ。便利な関数を組みこむんだ。右のソースコードは書き加える部分だけをぬき出してあるよ。他の行をけずってしまわないようにしよう。

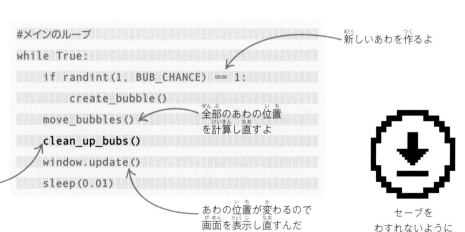

新しいあわを作るよ

```python
#メインのループ
while True:
    if randint(1, BUB_CHANCE) == 1:
        create_bubble()
    move_bubbles()
    clean_up_bubs()
    window.update()
    sleep(0.01)
```

全部のあわの位置を計算し直すよ

画面の外に出たあわを消すよ

あわの位置が変わるので画面を表示し直すんだ

セーブをわすれないように

⏩ せん水かんゲーム

2つの点の間の距離をはかる

他の多くのゲームと同じように、このゲームを作るには画面上の2つの点の間の距離がわかると便利だ。ここではコンピューターに距離をはからせる方法で、よく知られているものを紹介するよ。

11 下の関数は2つのものの間の距離を計算するんだ。ステップ9で書いたソースコードのすぐあとに書き足してね。

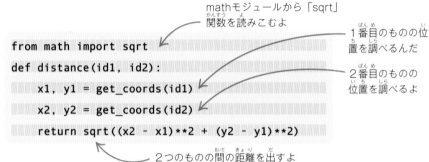

mathモジュールから「sqrt」関数を読みこむよ

1番目のものの位置を調べるんだ

2番目のものの位置を調べるよ

```python
from math import sqrt
def distance(id1, id2):
    x1, y1 = get_coords(id1)
    x2, y2 = get_coords(id2)
    return sqrt((x2 - x1)**2 + (y2 - y1)**2)
```

2つのものの間の距離を出すよ

あわをわる

プレイヤーはあわをわってポイントをふやすんだ。大きなあわやスピードが速いあわはポイントが高いぞ。次はあわの半径を利用して、それぞれのあわが「われたかどうか」を判断するためのソースコードを書くよ。半径というのは円の中心から周までの長さだね。

12 せん水かんとあわがぶつかると、あわをわってスコアを上げなければいけないよ。これから書くソースコードはステップ11で書いたソースコードに続けて書くよ。

▶ **ぶつかったかな？**
せん水かんの中心からあわの中心までの距離が、この2つの半径の合計よりも短ければ、せん水かんとあわがぶつかったということだ。

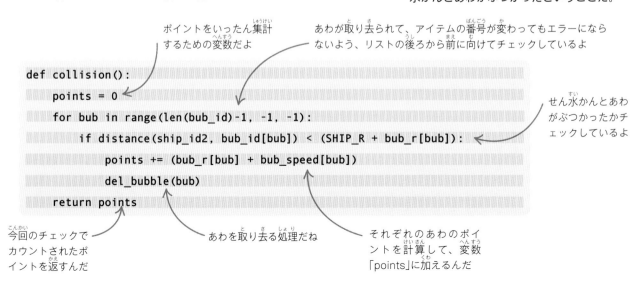

ポイントをいったん集計するための変数だよ

あわが取り去られて、アイテムの番号が変わってもエラーにならないよう、リストの後ろから前に向けてチェックしているよ

せん水かんとあわがぶつかったかチェックしているよ

```python
def collision():
    points = 0
    for bub in range(len(bub_id)-1, -1, -1):
        if distance(ship_id2, bub_id[bub]) < (SHIP_R + bub_r[bub]):
            points += (bub_r[bub] + bub_speed[bub])
            del_bubble(bub)
    return points
```

今回のチェックでカウントされたポイントを返すんだ

あわを取り去る処理だね

それぞれのあわのポイントを計算して、変数「points」に加えるんだ

13 メインのループにさっき作った関数を書き足そう。命令を書く位置をまちがえないよう気をつけよう。次のソースコードは書き加える部分だけをぬき出してあるよ。他の行をけずってしまわないように。ソースコードを書いたらプログラムを実行してみるよ。せん水かんにぶつかったあわはわれてしまうはずだ。シェル・ウィンドウでスコアを見てみよう。

ゲームの開始時に変数「score」を0にするよ

```
score = 0
#メインのループ
while True:
    if randint(1, BUB_CHANCE) == 1:
        create_bubble()
    move_bubbles()
    clean_up_bubs()
    score += collision()
    print(score)
    window.update()
    sleep(0.01)
```

新しいあわを作るよ

あわをわったスコアを合計に加えるぞ

シェル・ウィンドウにスコアを表示するよ。スコアの表示はあとできちんと作るからね

とても短い時間、ゲームを止めるんだ。この行をなくしてしまうとどうなるか、試してみよう

セーブをわすれないように

■ ■ ■ うまくなるヒント

省略した書き方

「score += collision()」というソースコードは「score = score + collision()」を短くした書き方だ。あわをわったスコアを合計のスコアに加え、その値を新しい「合計のスコア」にしているんだね。このような命令はよく使うので、省略した書き方を決めておくと便利だ。「－」の記号でも同じように書けるよ。「score－=10」は「score=score－10」と同じ意味だよ。

せん水かんゲーム

ゲームを完成させる

ゲームの主な部分は動くようになったね。残っているのは最後の仕上げだ。プレイヤーのスコアを画面に表示して、ゲームにせいげん時間をもうけよう。ゲームが始まると同時にカウントダウンも始まって、せいげん時間になったらゲームオーバーだ。

14 このソースコードをステップ12で入力したソースコードのすぐあとに書いてね。プレイヤーのスコアと残り時間を表示する関数だよ。

「タイム」と「スコア」という文字を画面に表示するんだ

```python
c.create_text(50, 30, text="タイム", fill="white" )
c.create_text(150, 30, text="スコア", fill="white" )
time_text = c.create_text(50, 50, fill="white" )
score_text = c.create_text(150, 50, fill="white" )
def show_score(score):
    c.itemconfig(score_text, text=str(score))
def show_time(time_left):
    c.itemconfig(time_text, text=str(time_left))
```

スコアと残り時間の表示位置を決めるよ

スコアを表示するぞ

残り時間を表示するよ

15 次はせいげん時間と、スコアが何点になればボーナスタイム（延長時間）がもらえるかを決めるよ。残り時間を計算するための変数も決めておくよ。このソースコードはメインのループが始まるすぐ前に書いてね。

timeモジュールの関数を読みこむよ

```python
from time import sleep, time
BUB_CHANCE = 10
TIME_LIMIT = 30
BONUS_SCORE = 1000
score = 0
bonus = 0
end = time() + TIME_LIMIT
```

ゲームのせいげん時間は30秒だ

1000ポイントとったら、ボーナスタイムが出るようにするよ

「end」という変数にゲームが終わる時間をセットするよ

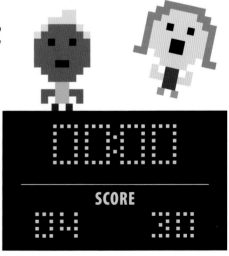

▲スコアボード

スコアボードがあると、プレイヤーはひと目で自分のスコアがわかるよ。

16 メインのループを改良して、新しく作ったスコアとタイムの関数を使うようにしよう。

```
#メインのループ
while time() < end:
    if randint(1, BUB_CHANCE) == 1:
        create_bubble()
    move_bubbles()
    clean_up_bubs()
    score += collision()
    if (int(score / BONUS_SCORE)) > bonus:
        bonus += 1
        end += TIME_LIMIT
    show_score(score)
    show_time(int(end - time()))
    window.update()
    sleep(0.01)
```

メインのループはゲーム終了まで動き続けるよ

ボーナスタイムを与えるかを決めるぞ

「print(score)」を「show_score(score)」に変えるよ。これでスコアがゲーム用のウィンドウに表示されるぞ

残り時間を表示するよ

セーブをわすれないように

17 最後は「ゲームオーバー」のグラフィックだ。せいげん時間になったときに表示するよ。次のソースコードを今まで書いてきたソースコードの一番下に書き足そう。

グラフィックを画面中央に置くよ

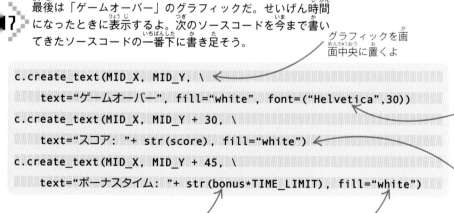

```
c.create_text(MID_X, MID_Y, \
    text="ゲームオーバー", fill="white", font=("Helvetica",30))
c.create_text(MID_X, MID_Y + 30, \
    text="スコア: "+ str(score), fill="white")
c.create_text(MID_X, MID_Y + 45, \
    text="ボーナスタイム: "+ str(bonus*TIME_LIMIT), fill="white")
```

フォントは大きくて読みやすい「Helvetica」にするぞ

スコアを知らせるよ

ボーナスタイムをどれくらいもらえたか表示するんだ

文字の色を白にするよ

セーブをわすれないように

せん水かんゲーム

ゲームで遊ぼう

これで完成だ！　せん水かんゲームのプログラムを書き終えたね。今度は遊んでみる時間だよ。プログラムを実行して試してみよう。もしうまく動かないところがあったらデバッグのヒントを思い出そう。自分のソースコードが正しく書かれているかチェックだ。

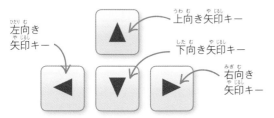

左向き
矢印キー

上向き矢印キー

下向き矢印キー

右向き
矢印キー

▲ そうじゅう方法

せん水かんは矢印キーでそうじゅうするよ。プログラムを書きかえれば、他のキーでそうじゅうするようにもできるぞ。

■ ■ **うまくなるヒント**

ゲームを改良しよう

どのコンピューターゲームも最初はかんたんなアイデアから始まったんだよ。遊んでみて、プログラムをテストして、調整して、そして改良していったんだ。ゲームを面白くするためのヒントを書いておくよ。

- せいげん時間やボーナスタイムをかくとくするのに必要なスコアを調整して、ゲームをむずかしくしてみよう。
- せん水かんの色を変えてみよう。
- せん水かんのグラフィックを改良してみよう。
- あわをわるとせん水かんのスピードが上がるような特別なあわを作ってみよう。
- スペースキーを押すと、あわが全部消えるようなボム（特別な武器）を作ってみよう。
- ベストスコアを記録するスコアボードを作ってみよう。

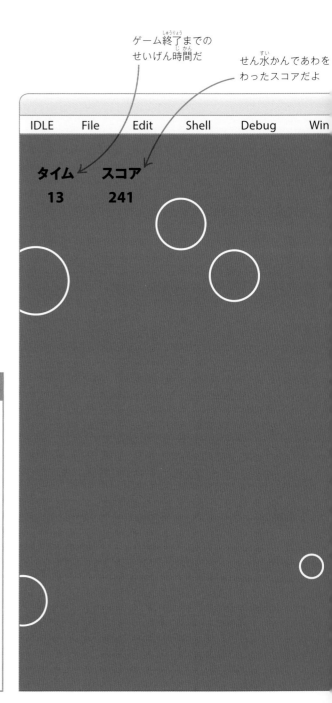

ゲーム終了までのせいげん時間だ

せん水かんであわをわったスコアだよ

| IDLE | File | Edit | Shell | Debug | Win |

タイム　スコア
13　　241

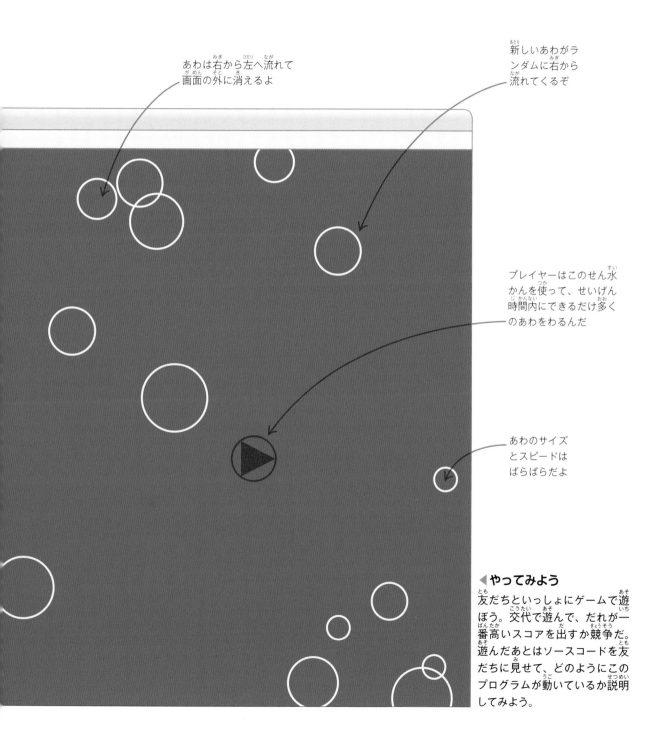

あわは右から左へ流れて
画面の外に消えるよ

新しいあわがラ
ンダムに右から
流れてくるぞ

プレイヤーはこのせん水
かんを使って、せいげん
時間内にできるだけ多く
のあわをわるんだ

あわのサイズ
とスピードは
ばらばらだよ

◀**やってみよう**
友だちといっしょにゲームで遊
ぼう。交代で遊んで、だれが一
番高いスコアを出すか競争だ。
遊んだあとはソースコードを友
だちに見せて、どのようにこの
プログラムが動いているか説明
してみよう。

このページも見てみよう

❮ 152–153 ライブラリー

コンピューター 204–205 ❯
ゲーム

この次は？

この本でパイソンのプログラミングに挑戦した君は、すでにプログラマーの卵だ。ここでは次に何に挑戦したらいいか、アイデアをいくつか紹介するぞ。プログラミングのテクニックをみがくためのヒントもあるぞ。

実験をしてみる

ここまで習ったソースコードをいろいろ改良してみよう。まぜあわせたり、新しい機能を追加してみるんだ。ソースコードが変わってしまうのをこわがってはいけないよ。パイソンはプロが使うすぐれたプログラミング言語だということを思い出そう。君もパイソンでいろいろなことに挑戦できるんだ。

おぼえておこう

ソースコードをたくさん読む

他の人が書いたプログラムやソースコードを見つけて、どのように書かれているか、コメントに何が書いてあるかチェックしよう。そしてプログラムがどのように動くか、なぜそのようなソースコードになっているかをよく考えてみるんだ。そうすれば君のプログラミングのスキルは大きくのびるよ。

専用のライブラリーを作ろう

プログラマーはソースコードをくり返し利用したり、他の人にも使ってもらうのが大好きだ。君も便利な関数を集めて自分専用のライブラリーを作り、みんなと共有しよう。君が書いたソースコードを他のプログラマーが使ってくれるなんて、とても気分がいいよね。

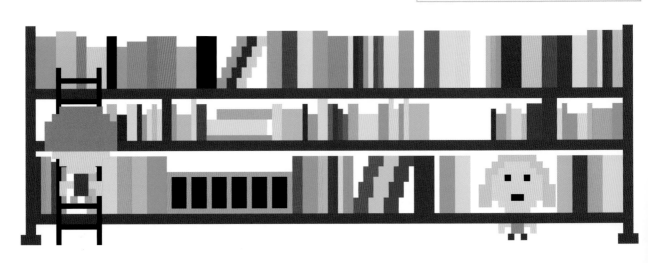

パイソンでゲームを作ろう

パイソンを使えば、自分だけのオリジナルゲームが作れるよ。ウェブからダウンロードできる PyGame ライブラリーには、ゲーム作りを助けてくれる関数やツールがたくさん入っている。かんたんなゲームから始めて、だんだんふくざつなゲームを作っていこう。

うまくなるヒント

パイソンのバージョン

他の本やウェブ上でパイソンのソースコードを見つけても、ちがうバージョンのパイソンで書かれているかもしれないよ。書き方はにているけど、少し書きかえないといけないんだ。

```
print "Hello World"
```
← パイソン2の場合

```
print ("Hello World")
```
← パイソン3の場合

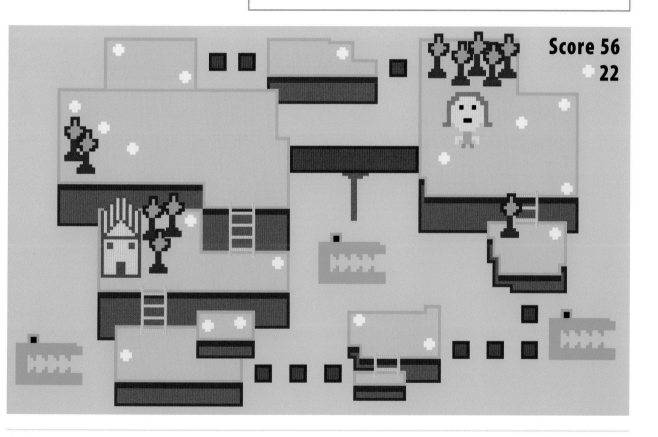

Score 56
22

自分のソースコードをデバッグする

プログラミングにとってデバッグは大切だよ。うまくプログラムが動かないことがあってもあきらめてはいけないぞ。コンピューターは君が教えたとおりにしか動かないことを思い出そう。他のプログラマーに手伝ってもらうと、バグが早く見つかることがあるよ。

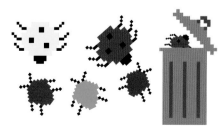

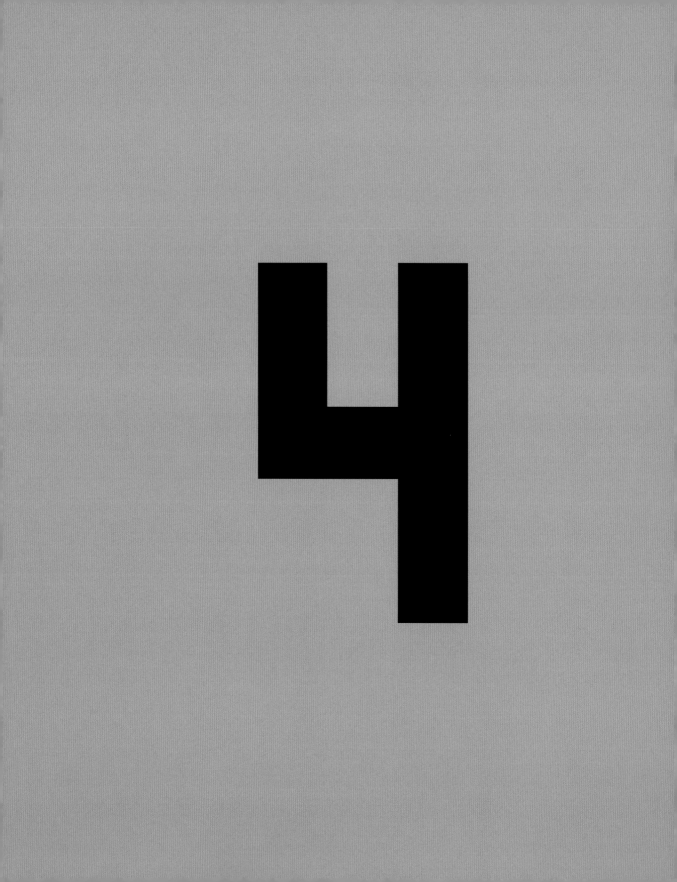

コンピューターの
しくみ

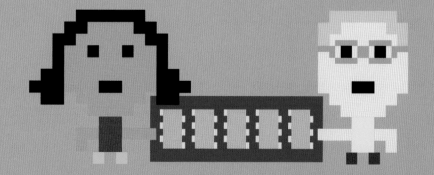

コンピューターのしくみ

昔のコンピューターはかんたんな計算機のようなものだったんだ。そして今でも、コンピューターがすることは実はそれほど変わっていないよ。データを入力して、計算を行って、結果を出力するのは昔といっしょだね。

このページも見てみよう

ファイルにデータ 192–193 ▶
を保管する

インターネット 194–195 ▶

小さな 214–215 ▶
コンピューター

主な部品

コンピューターの部品は大きく4つにわけられる。「入力用の装置」「メモリ」「プロセッサ」「出力用の装置」だ。入力用の装置は人間が目と耳で情報を集めるのと同じようにデータを集める。そしてメモリがこのデータを保管しておき、プロセッサが人間の脳のようにデータを調べたり加工したりするんだ。出力用の装置はプロセッサの計算結果を出力する。人間が何をするか決めた後に、しゃべったり動いたりするのと同じだね。

▶ノイマン型コンピューター

1945年に初めて、ジョン・フォン・ノイマンがコンピューターのおおもとの考え方を生み出したと言われているよ。ノイマンの考え方は改良されて、現代でも大切にされているんだ。

メモリはデータを分解して保管しているよ。図書館で本をたなにしまうようなものだね。メモリにはプログラムと、そのプログラムで使うデータが保管されるんだ

メモリとのやりとりをコントロールしている装置が、実行したいプログラムをメモリから取り出すんだ

メモリ

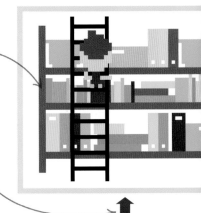

全体をコントロールする装置（制御装置）が入っているぞ。この装置がプログラムの命令を読んで実行するんだ

プロセッサ

制御装置

入力

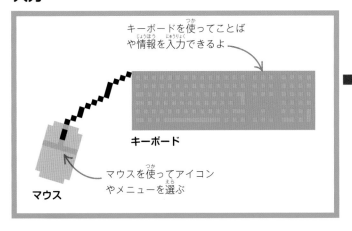

キーボードを使ってことばや情報を入力できるよ

キーボード

マウスを使ってアイコンやメニューを選ぶ

マウス

ハードウェア

ハードウェアはコンピューターの目に見える部分だよ。コンピューターにはいろいろな部品が使われている。できるだけ小さなサイズにするために、小型で熱を出しにくく、電気をあまり使わない部品であることが大切なんだ。

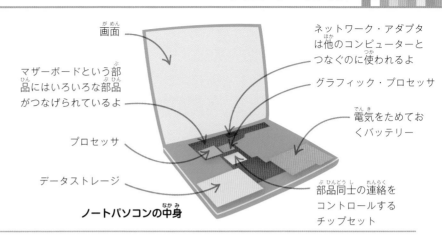

画面

ネットワーク・アダプタは他のコンピューターとつなぐのに使われるよ

マザーボードという部品にはいろいろな部品がつなげられているよ

グラフィック・プロセッサ

電気をためておくバッテリー

プロセッサ

データストレージ

部品同士の連絡をコントロールするチップセット

ノートパソコンの中身

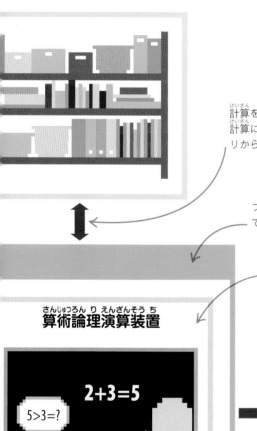

計算をするための装置が計算に使うデータをメモリから取り出すよ

プロセッサは2つの装置でできているよ

プログラムで必要な「数の計算」を専門にしている装置だよ

算術論理演算装置

2+3=5

5>3=?

ことば

ガーベジイン・ガーベジアウト

ガーベジは英語でゴミのことだよ。どんなに上手にプログラムを作っても、ゴミのような（まちがった）データが入力されたら、役に立たない結果しか出力されないという意味なんだ。

出力

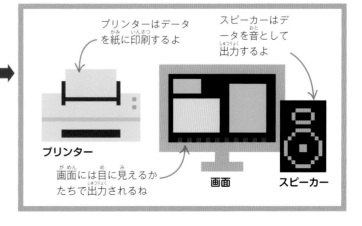

プリンターはデータを紙に印刷するよ

スピーカーはデータを音として出力するよ

プリンター

画面には目に見えるかたちで出力されるね

画面

スピーカー

二進法、十進法、十六進法

コンピューターは電気信号しかわからないのに、ふくざつな計算をどうやってしているのだろう？　電気信号を数に置きかえるのには、二進法が使われているんだ。

このページも見てみよう

文字	184–185 ▶
コード	
論理ゲート	186–187 ▶

～進法って何だろう？

「～進法」の「～」に入っている数は、1つのケタでいくつの数を表せるかをしめしているんだ。「～進法」で書かれた数に「～」の数（十進法なら 10 だね）をかけると、ケタが1つふえるよ。

▶**十進法**

十進法は一番知られている数え方だね。1ケタなら10の数（0から9まで）、2ケタなら100の数（0から99まで）、3ケタなら1000の数（0から999まで）を表せるよ。

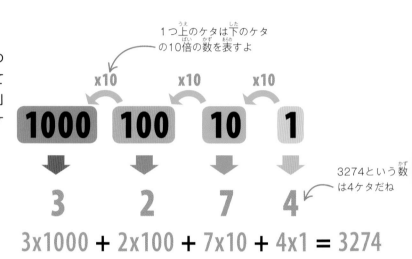

1つ上のケタは下のケタの10倍の数を表すよ

x10　x10　x10

1000　**100**　**10**　**1**

3　2　7　4

3274という数は4ケタだね

3x1000 + 2x100 + 7x10 + 4x1 = 3274

二進法

コンピューターは電気信号が「on」のときと「off」のときの2つを区別できるだけなんだ。この2つしか区別できないので、コンピューターが使えるのは「二進法」なんだよ。二進法では1つのケタには1か0しか入らない。1つ上のケタは下のケタの2倍の数を表すんだ。

▶**1と0**

電気信号が「on」なら1、「off」なら0だね。

電気信号が流れているよ

1 ON

0 OFF

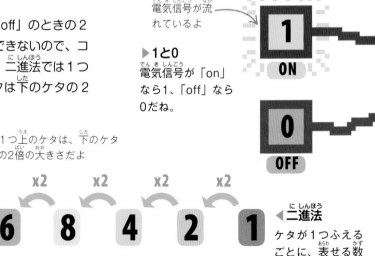

1つ上のケタは、下のケタの2倍の大きさだよ

x2　x2　x2　x2　x2　x2　x2

128　**64**　**32**　**16**　**8**　**4**　**2**　**1**

▶**二進法**

ケタが1つふえるごとに、表せる数も2倍になるんだ。

1　1　1　1　0　0　0　1

1x128 + 1x64 + 1x32 + 1x16 + 0x8 + 0x4 + 0x2 + 1x1 = 241

十六進法

コンピューターのプログラムで数をあつかうときは、十六進法が使われることが多い。十六進法の数は二進法の数から変換しやすいんだ。でも数字は０から９までの10個しかないね。それで10から15の数はAからFのアルファベットで表すんだよ。

▼ニブルに区切る

「ニブル」というのは４ケタの二進法の数のことだよ。ニブルを使うと十六進法の数を１つ表せるんだ。

241を二進法で表すとこうなるね

1 1 1 1 0 0 0 1

1111

二進法の数は４つのケタを1組にしてニブルに変えられるよ

0001

二進法の1111は十進法では15、十六進法ではFなんだ

F

二進法の0001は十進法でも十六進法でも1だよ

1

十六進法で表した数

241=F1

十進法で表した数

▼くらべてみよう

下の表を見ると、十六進法が一番少ないケタ数で大きな数を表せるのがわかるね。

二進法、十進法、十六進法の比較

十進法	二進法	十六進法
0	0 0 0 0	0
1	0 0 0 1	1
2	0 0 1 0	2
3	0 0 1 1	3
4	0 1 0 0	4
5	0 1 0 1	5
6	0 1 1 0	6
7	0 1 1 1	7
8	1 0 0 0	8
9	1 0 0 1	9
10	1 0 1 0	A
11	1 0 1 1	B
12	1 1 0 0	C
13	1 1 0 1	D
14	1 1 1 0	E
15	1 1 1 1	F

おぼえておこう

ビット、ニブル、バイト

二進法の１つのケタをビットというよ。ビットはコンピューターのメモリに保管される、一番小さな情報だ。ビットが集まってニブルやバイトになるよ。キロビットは1024ビット、メガビットは1024キロビットのことだ。

ビット：１ビットは二進法の数の１つのケタだから1か0になるね。

1

ニブル：４つのビットが集まってニブルになる。十六進法の１ケタを表せるよ。

1001

バイト：８ビット（十六進法の２ケタ）で１バイトになる。１バイトで0から255（十六進法だと00からFF）の数を表せるよ。

10110010

文字コード

コンピューターは数を電気信号に変えるとき、二進法の数を使うんだ。でも文字の場合は、どうやって二進法の数で記録するのだろう？

このページも見てみよう

❮ 180–181 コンピューター
のしくみ

❮ 182–183 二進法、
十進法、十六進法

アスキー（ASCII）

昔のコンピューターは、コンピューターごとにべつべつの方法で文字を記録していたよ。でもコンピューターの間でデータをやりとりするようになると、共通のルールを決めることになったんだ。それが American Standard Code for Information Interchange（ASCII）だ。ASCII は「アスキー」と読むよ。

▶**アスキーコード表**
アスキーでは大文字や小文字を区別してそれぞれに番号をふっているよ。ピリオドやカンマなどの記号やスペースなどにも番号がふられているんだ。

▶**二進法で表したアスキーコード**
どの文字にも番号がふられているよ。コンピューターに記録するときは二進法に変換する必要があるよ。

R = 82 = 1010010

r = 114 = 1110010

▼**パイソンのアスキーコード**
ほとんどのプログラミング言語で、アスキーコードと二進法の数を変換できるんだ。もちろんパイソンもだよ。

この行の命令は、それぞれの文字について「文字、アスキーコード（十進法）、アスキーコード（二進法）」を表示するよ。ここでは「Sam」の3つの文字について表示しているね

```
>>> name = "Sam"
>>> for c in name:
        print(c, ord(c), bin(ord(c)))

S 83 0b1010011
a 97 0b1100001
m 109 0b1101101
```

これが結果だよ。二進法で表す場合は目印として先頭に「0b」がつけられているよ

	アスキー（ASCII）				
32	SPACE	64	@	96	`
33	!	65	A	97	a
34	"	66	B	98	b
35	#	67	C	99	c
36	$	68	D	100	d
37	%	69	E	101	e
38	&	70	F	102	f
39	'	71	G	103	g
40	(	72	H	104	h
41	)	73	I	105	i
42	*	74	J	106	j
43	+	75	K	107	k
44	,	76	L	108	l
45	-	77	M	109	m
46	.	78	N	110	n
47	/	79	O	111	o
48	0	80	P	112	p
49	1	81	Q	113	q
50	2	82	R	114	r
51	3	83	S	115	s
52	4	84	T	116	t
53	5	85	U	117	u
54	6	86	V	118	v
55	7	87	W	119	w
56	8	88	X	120	x
57	9	89	Y	121	y
58	:	90	Z	122	z
59	;	91	[	123	{
60	<	92	\	124	|
61	=	93	]	125	}
62	>	94	^	126	~
63	?	95	_	127	DELETE

ユニコード（Unicode）

世界中のコンピューターがデータを共有するようになると、アスキーコードでは対応できなくなってきたんだ。世界中の言語で使う何千もの文字をあつかわなければならないからね。そこでユニコードという文字コードを世界中で使うことになったんだ。

ユニコードには11万を超える文字があるんだよ！

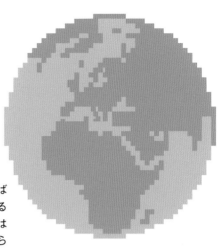

▶世界的な文字コード

ユニコードは世界のすべてのことばの文字をコードで表そうとしているよ。例えばアラビア語の文字には0600から06FFの範囲がわり当てられているんだ。

▶ユニコードの文字

ユニコードでは文字は十六進法の番号で表され、数字とアルファベットで書かれるんだ（182から183ページを見てね）。それぞれの文字には番号がふられているよ。文字はふえ続けていて、中には小さなカサ（右の図を見てね）のような変わったものもあるんだ。

2602

2EC6

08A2

0036

0974

004D

2702

A147

▶おぼえておこう

十六進法の数

十六進法の数を書くときは、ふだん使う0から9の数字の他に、AからF（10から15を表すよ）のアルファベットも使うよ。十六進法の数は二進法の数に変換できるんだ。

ユニコードで「ё」にふられた十六進法の番号だよ

二進法で書くとこうなるよ

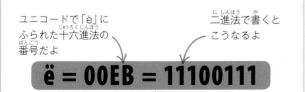

ё = 00EB = 11100111

▼パイソンでのユニコード

パイソンで特殊な文字を表示するのにユニコードが使えるよ。ユニコードの番号を入力すればいいんだ。

十六進法の番号の前に「\u」を入れて、ユニコードであることをコンピューターに教えるんだ。

```
>>> "Zo\u00EB"
"Zoë"
```

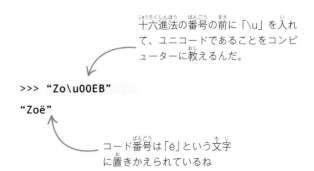

コード番号は「ё」という文字に置きかえられているね

論理ゲート

コンピューターは数や文字をあつかうだけでなく、電気信号を使う「論理ゲート」というしくみを利用して判断をしているんだ。主な論理ゲートには「AND（アンド）」「NOT（ノット）」「OR（オア）」「EXCLUSIVE OR（エクスクルーシブ・オア）」の4つがあるよ。

このページも見てみよう

❮ 180–181 コンピューターのしくみ

❮ 182–183 二進法、十進法、十六進法

AND ゲート

1つ以上の入力信号を受けとった論理ゲートは、かんたんなルールにしたがって1つの信号を出力するよ。AND ゲートは入ってきた信号が2つとも on（1の状態）のときに on（1）の信号を出すんだ。

▲ 1と1のときは1
信号がどちらも on なので、AND ゲートは on の信号を出すよ。

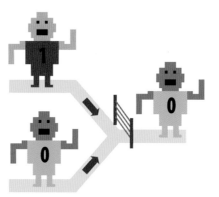

▲ 1と0のときは0
片方の信号が on でも、もう片方が off なら出力信号は off になるよ。

▲ 0と0のときは0
信号が2つとも off なら、AND ゲートは off を出力するんだ。

NOT ゲート

このゲートは入ってきた信号を逆の状態にして出力するよ。on がくれば off、off がくれば on を出力するんだ。NOT ゲートはインバーターともよばれるよ。

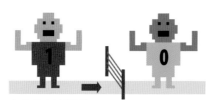

▲ 1のときは0
NOTゲートは入力が on なら off、off なら on を出力するよ。

> **■ ■ 現実のできごと**
>
> ### ジョージ・ブール（1815～64年）
>
> 英国の数学者ジョージ・ブールのおかげで論理ゲートができたんだよ。ブールは論理の問題をとく方法を研究したんだ。数学の中でも True と False の値をあつかう分野を、ブールをたたえて「ブール論理」とよぶよ。

OR ゲート

OR ゲートは 2 つの入力のどちらか 1 つでも on なら on を出力するよ。両方とも on なら、もちろん on を出力するぞ。

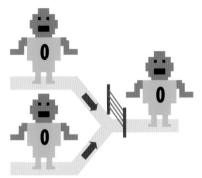

▲ 1 と 1 のときは 1

2 つの on が入力されると、出力は on になっているね。

▲ 1 と 0 のときは 1

on が 1 つ、off が 1 つ入力されても on が出力されるんだ。

▲ 0 と 0 のきは 0

2 つの入力がどちらも off のときだけ、OR ゲートは off を出力するよ。

EXCLUSIVE OR ゲート

このゲートは 1 つの入力が on でもう 1 つが off のときだけ on を出力するよ。2 つとも on か 2 つとも off のときは off を出力するんだ。このゲートは XOR ゲートともいうよ。

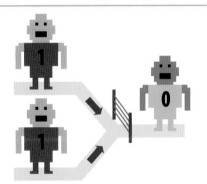

▲ 1 と 1 のときは 0

on が 2 つ入ってくると off を出力するよ。

▲ 1 と 0 のときは 1

入力がちがう場合だけ、on が出力されるんだ。

■□ うまくなるヒント

コンピューターの回路

このページで説明した 4 つの基本的なゲートを使えば、あらゆる回路が作れるんだ。例えば AND ゲートと XOR ゲートを 1 つずつ使うと、1 ケタの二進法の数の足し算ができるよ。OR ゲートと NOT ゲートを 2 つずつ使って 1 ビットのデータを記憶させることもできるんだ。とても高性能なコンピューターも、こうした小さな回路が何十億も集まってできているんだよ。

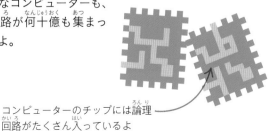

コンピューターのチップには論理回路がたくさん入っているよ

プロセッサとメモリ

コンピューターの中にはいろいろな種類の電子チップが入っているんだ。その中でも特に重要なのがプログラムを実行するプロセッサとデータをすぐに取り出せるようにしてしまっておくメモリだよ。

このページも見てみよう

❮ 180-181 コンピューター
のしくみ

❮ 186-187 論理ゲート

プロセッサ

プロセッサはとても小さくてふくざつな回路がたくさん集まったものだよ。回路はガラスににたシリコンという物質の上にプリントされているんだ。トランジスタという小さなスイッチが組み合わさってかんたんな論理ゲートを作り、これをさらにたくさん組み合わせて、ふくざつな回路にしているよ。こうした回路がコンピューターでプログラムを動かしているんだ。

◀ **プロセッサの回路**
回路はクロックという信号にタイミングを合わせて動作しているんだ。ちょうどオーケストラが指揮者に合わせてえんそうするようなものだね。

機械語

プロセッサは「機械語」ということばで書かれた命令しか読めないよ。機械語の命令は、足す、引く、データを記憶するというようなかんたんなものしかないんだ。このかんたんな命令を組み合わせて、ふくざつなプログラムにしているんだよ。

▶ **機械語を読む**
機械語は数字が並んでいるだけなんだ。だからプログラマーはパイソンのようなプログラミング言語でソースコードを書き、ソースコードを機械語に変換しているんだね。

メモリに
記憶する

```
83  e4  f0
83  ec  20
c7  44  24  1c  00  00  00
00
eb  11
```

プログラムの他の部分をよび出す

```
c7  04  24  60  84  04  08
e8  1d  ff  ff  ff
```

2つの数をくらべる

```
83  44  24  1c  01
83  7c  24  1c  09
7e  e8
```

メモリ

プロセッサと同じようにメモリチップもシリコンの上にプリントされているよ。いくつかの論理ゲートを組み合わせて「ラッチ回路」を作っている。それぞれのラッチ回路が1ビットを記憶しているんだ。このラッチ回路をたくさん集めてメガバイトやギガバイトのストレージを作っているんだよ。

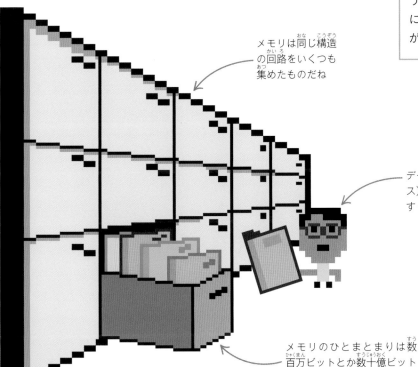

メモリは同じ構造の回路をいくつも集めたものだね

データには番号（アドレス）がふられているのですぐに見つけられるよ

メモリのひとまとまりは数百万ビットとか数十億ビットのデータを記憶できるよ

ことば

RAM（ラム）

メモリのことをRAM（Random Access Memory）とよぶことがあるよ。「どの部分でも直接読み書きできるメモリ」という意味だ。昔は最初から最後まで順番に読んでいたため、データの読み書きがとてもおそかったんだ。

◀ プログラムとデータ

プログラムはメモリの中のデータをつねにいそがしく読み書きしているよ。

おぼえておこう

情報を処理する

プロセッサとメモリを、入力や出力をするための装置と組み合わせれば、コンピューターとして動くようになるよ。例えばゲームのプログラムなら、プレイヤーがマウスをクリックして位置のデータを入力すると、プロセッサが計算し、メモリの読み書きをおこない、キャラクターが画面上でジャンプするという形で出力するんだ。

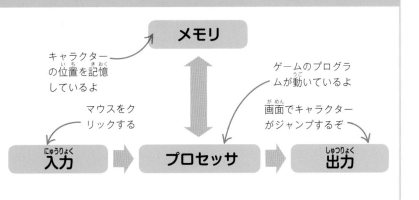

基本のプログラム

重要なプログラムとして「オペレーティングシステム」「コンパイラ」「インタプリタ」の３つがあるよ。それぞれどういうものか見ていこう。

このページも見てみよう

❮ 180–181 コンピューターのしくみ

❮ 182–183 二進法、十進法、十六進法

❮ 188–189 プロセッサとメモリ

オペレーティングシステム

オペレーティングシステム（OS）はコンピューター全体を管理しているマネージャーだよ。どのプログラムをどれくらいの時間動かすか、そのプログラムが動くときコンピューターのどの部分を使うか、などを管理しているんだ。マイクロソフトの Windows やアップルの macOS などがよく知られている OS だ。

オペレーティングシステムはタコのようなものだ。たくさんある足がコンピューターのすべての部品とつながっているよ

オペレーティングシステムが、プロセッサが動く時間を管理しているよ

▶ **OSの動作**

プロセッサが仕事をする時間は細かく分けられているんだ。プログラムはその分けられた時間の中で動くよ。もし与えられた時間内で処理が終わらなかったら、休み時間に入って次の順番を待ち、別のプログラムが動き出すんだ。

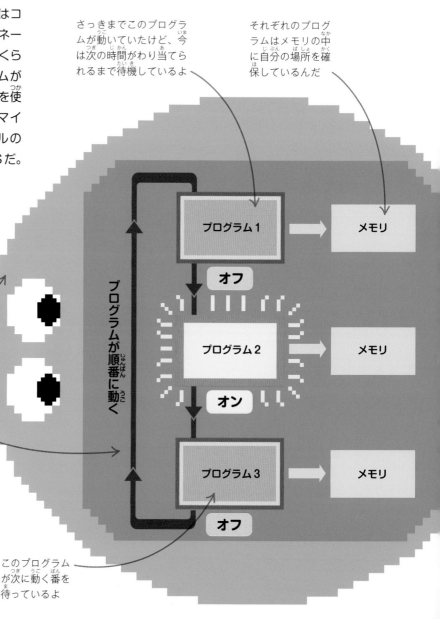

さっきまでこのプログラムが動いていたけど、今は次の時間がわり当てられるまで待機しているよ

それぞれのプログラムはメモリの中に自分の場所を確保しているんだ

プログラムが順番に動く

プログラム1 → メモリ

オフ

プログラム2 → メモリ

オン

プログラム3 → メモリ

オフ

このプログラムが次に動く番を待っているよ

コンパイラと インタプリタ

プログラムを書くのに使うパイソンのような言語は「高水準言語」とよばれているよ。コンピューターのプロセッサは高水準言語を読めないんだ。だからコンパイラとインタプリタを使って、ソースコードをコンピューターが読める低水準言語（機械語とよばれることもあるね）に変換しているんだ。

コンパイラ

入力データ → 機械語の プログラム を実行する

▲コンパイラ

コンパイラはソースコードを変換して機械語にするよ。機械語にしたプログラムは保管しておいて、あとで実行できるんだ。

出力データ

インタプリタ

▶インタプリタ

インタプリタはソースコードの機械語への変換と、プログラムの実行を同時に行うよ。

プログラム —入力→ インタプリタがプログラムを動かす

入力データ ↓

出力データ

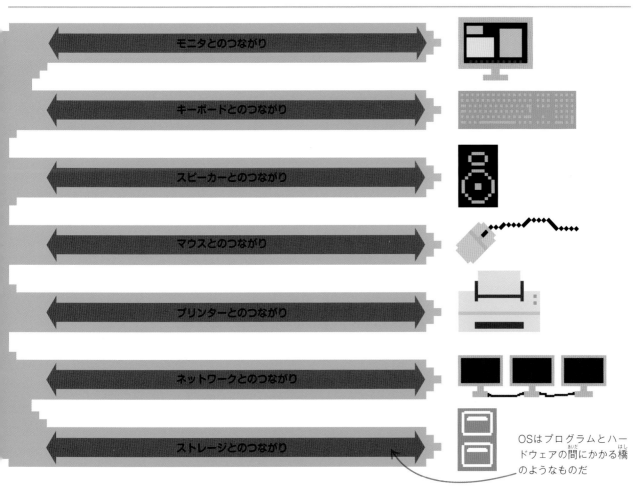

モニタとのつながり

キーボードとのつながり

スピーカーとのつながり

マウスとのつながり

プリンターとのつながり

ネットワークとのつながり

ストレージとのつながり

OSはプログラムとハードウェアの間にかかる橋のようなものだ

ファイルにデータを保管する

コンピューターのメモリは数字や文字を保管するだけではないんだ。音楽、絵、動画など、いろいろなタイプのデータも保管できるよ。そうしたデータはどのように保管されているのか、保管されたデータはどうやって見つけるんだろう？

このページも見てみよう

❮ 182–183　二進法、十進法、十六進法

❮ 188–189　プロセッサとメモリ

❮ 190–191　基本のプログラム

データの保管の仕方

データを保管するときはファイルに入れておくんだ。ファイルには見つけやすい名前をつけておこう。ファイルはハードディスク、メモリカード、それからオンライン上にも保管できる。コンピューターの電源が入らなくても、オンラインで保管するようにしていればデータは守れるね。

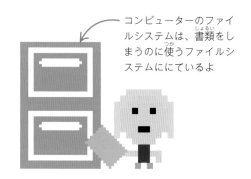

コンピューターのファイルシステムは、書類をしまうのに使うファイルシステムににているよ

うまくなるヒント

ファイルのサイズ

ファイルは二進法で書かれたデータ（ビット単位のデータ）の集まりなんだ。ファイルのサイズは次のように表されるよ。

バイト（B）

1B＝8ビット（例：10011001）

キロバイト（KB）

1KB＝1024B

メガバイト（MB）

1MB＝1024KB＝1,048,576B

ギガバイト（GB）

1GB＝1024MB＝1,073,741,824B

テラバイト（TB）

1TB＝1024GB＝1,099,511,627,776B

▼ファイルの情報

ファイルには中身以外にも情報が入っているよ。ファイルの「プロパティ」を見れば、システムにとって必要なファイルの情報が全部わかるよ。

ファイルの上でマウスの右ボタンをクリックすると、ファイルの種類、場所、サイズなどが表示されるよ

ファイルの名前はおぼえやすいものにしよう

ファイルの種類だよ。3文字で表すことが多いね

ファイルの中のデータを使えるプログラムだ

ファイルがコンピューターのどこにあるかがわかるよ

ファイルのサイズだね

ファイルのプロパティ

名前	groove
ファイルの種類	mp3
ファイルを使うためのプログラム	Music Player
ファイルがある場所	¥Users¥Jack¥Music
サイズ	50 MB

ディレクトリ

コンピューターの中のファイルを見つけやすくために、きちんと整理しておこう。ファイルは「ディレクトリ」や「フォルダ」というグループにまとめておけるよ。ディレクトリの中にディレクトリを入れて、木をさかさにしたような形（下の図）にしておくと便利だよ。

▼ディレクトリツリー

ディレクトリの中にディレクトリを置けるので、木をさかさにしたような形にディレクトリが組み合わさるんだ。木と同じように、ルート（根っこ）と枝があるよ。ディレクトリの位置を示す文字列をパスというよ。

■■ うまくなるヒント

ファイルの管理

ファイルマネージャーというプログラムは、ファイルやディレクトリを見つけるのに役立つよ。オペレーティングシステムごとにちがうファイルマネージャーがあるぞ。

Windows：ウィンドウズエクスプローラを使ってディレクトリを調べるよ

マッキントッシュ：ファインダーでディレクトリを調べるよ

Ubuntu：ノーチラスでディレクトリを調べるよ

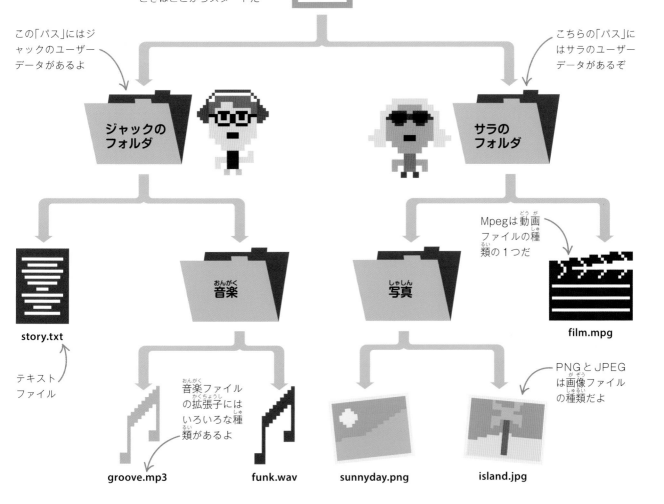

ディレクトリツリーの「ルート」。ファイルをさがすときはここからスタートだ

この「パス」にはジャックのユーザーデータがあるよ

こちらの「パス」にはサラのユーザーデータがあるぞ

ジャックのフォルダ

サラのフォルダ

Mpegは動画ファイルの種類の１つだ

音楽

写真

story.txt

film.mpg

テキストファイル

音楽ファイルの拡張子にはいろいろな種類があるよ

PNGとJPEGは画像ファイルの種類だよ

groove.mp3

funk.wav

sunnyday.png

island.jpg

インターネット

インターネットは世界中のコンピューターのネットワークだ。とてもた
くさんのコンピューターがつながれているので、情報が正しい場所にと
どいているかたしかめるには、高性能なシステムが必要なんだ。

このページも見てみよう

❮ 182–183　二進法、
十進法、十六進法

❮ 192–193　ファイルに
データを保管する

IP アドレス

インターネットにつながれたコンピューターや電話には、建物と同じようにア
ドレス（住所やあて先という意味だ）がつけられているんだ。インターネット・
プロトコル・アドレス（IP アドレス）とよばれていて数字を並べて書くよ。

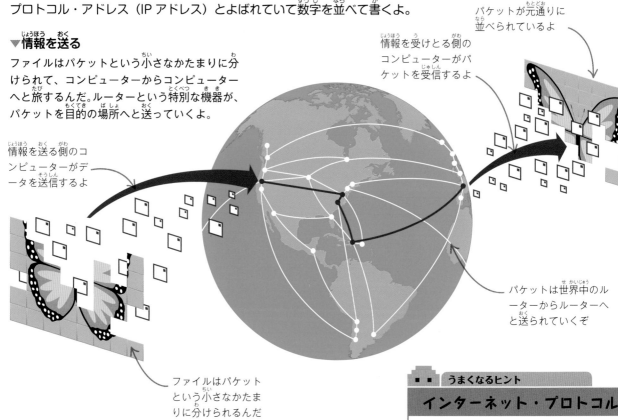

▼情報を送る

ファイルはパケットという小さなかたまりに分
けられて、コンピューターからコンピューター
へと旅するんだ。ルーターという特別な機器が、
パケットを目的の場所へと送っていくよ。

情報を送る側のコ
ンピューターがデ
ータを送信するよ

ファイルはパケット
という小さなかたま
りに分けられるんだ

情報を受けとる側の
コンピューターがパ
ケットを受信するよ

パケットが元通りに
並べられているよ

パケットは世界中のル
ーターからルーターへ
と送られていくぞ

あて先
10.150.93.22

送り主
62.769.20.57

◀アドレスの情報

1つ1つのパケットには、あ
て先と送り主のIPアドレス
がはりつけられているよ。
「dk.com」のようなドメイ
ンネームはIPアドレスに変
換されているんだ。

■ ■ ■　うまくなるヒント

インターネット・プロトコル

プロトコルというのはルール（規則）がセッ
トになったものだ。「インターネット・プ
ロトコル」では、パケットの大きさや構造
が決められているよ。インターネットにつ
ながって通信をしたい機器は、このルー
ルにしたがわなければならないんだ。

データを送る

機器と機器の間でパケットを送るには、パケットを二進データ（1か0の値になるデータ）に変換して遠くに伝えられるようにしておくんだ。インターネットにつながる機器はどれも「ネットワークアダプタ」という部品を持っていて、この部品が二進データへの変換をしているよ。機器の種類がちがうと、データの送り方もちがっているよ。

▲電気信号
電線で信号を送るんだ。信号の強さで1か0かを表すよ。

▲光
光ファイバーのケーブルを使うんだ。光の点滅でデータを送る。

▲電波
電波を使って情報を送っているよ。電線やケーブルは必要ない。

ポート

アパートで特定の人に手紙をわたすように、パケットを特定のプログラムに送りたいことがあるかもしれないね。

コンピューターはそれぞれのプログラム用のアドレスとして「ポート」という番号を使っているよ。よく使われるプログラムには特定の番号がわり当てられるよ。例えばウェブブラウザは80番のポートを使ってパケットを受けとるんだ。

▼ポート番号
ポート番号は0から65535番まで使えるよ。「一般的」「登録済み」「自由に使用できる」という3種類にわかれているよ。

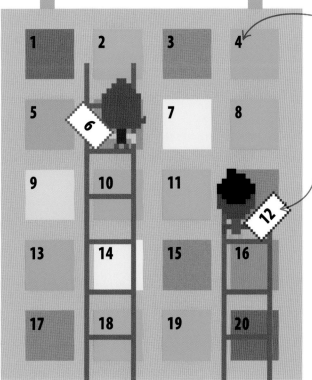

IP 165.193.128.72

機器のIPアドレスはアパートの建物がどこにあるかを表す住所のようなものだよ

ポート番号はアパートの部屋の1つのようなものだね

ルーターは郵便配達のように、パケットを正しいアドレスにとどけるんだ

うまくなるヒント

ソケット

IPアドレスとポートの組み合わせを「ソケット」とよぶんだ。ソケットを使えば、プログラムはインターネットを利用して直接データをやりとりできるぞ。オンラインゲームをするときに便利な機能だね。

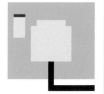

現実の世界での
プログラミング

プログラミング言語

これまでにたくさんのプログラミング言語が作られてきたよ。どの言語を使ったらよいかは、どのようなプログラムを作るのか、どのような種類のコンピューターで使うのか、などによって決めよう。

このページも見てみよう

コンピューター　204–205 ⟩
ゲーム

アプリを　206–207 ⟩
作る

よく使われる言語

ここでは、いろいろなプログラミング言語を使って「Hello World!」ということばを表示するためのプログラムを書いたらどうなるかをくらべてみたよ。

```
#include <stdio.h>
main()
{
        printf("Hello World!");
}
```

▲**C言語**

プログラミング言語でもっとも有名な言語だ。ハードウェア用のプログラムを作るのによく使われるよ。

```
#include <iostream>
int main()
{
        std::cout << "Hello World!" << std::endl;
}
```

▲**C++**

Cをベースにさらに機能を加えた言語だよ。ゲーム機専用のゲームなど、速い処理が必要なプログラムを書くのに使われるぞ。

```
#import <stdio.h>
int main(void)
{
        printf("Hello World!");
}
```

▲**Objective-C**

Cをベースにさらに機能を加えた言語だ。アップルのマッキントッシュというパソコンやiPhone、iPadのプログラムを書くのに使われて有名になったよ。

```
alert('Hello World!');
```

▲**Java Scrip**

ウェブブラウザ上で動くプログラムを書くのに使われるぞ。かんたんなゲームやメールサイトで使われているよ。

```
class HelloWorldApp {
    public static void main(String[] args) {
        System.out.println("Hello World!");
    }
}
```

▲**Java**

たいていのコンピューターで動き、とても多くの使い道がある言語だ。アンドロイドというOS用のプログラムを書くのにも使われるよ。

```
<?php
echo "Hello World!";
?>
```

◀**PHP**

ユーザーと情報をやりとりするウェブサイトを作る場合、この言語を使うことが多いよ。ウェブサイトを構築するサーバー上で動くんだ。

古いプログラミング言語

20年や30年前に有名だった古いプログラミング言語がたくさんあるよ。今でも重要なシステムにまだ使われている場合がある。いくつか紹介しよう。

BASIC
1964年にアメリカのダートマス大学で開発されたBASIC（ベーシック）は、家庭でコンピューターを使い始めた時代には大人気だったんだ。

Fortran
1954年にIBMというコンピューター会社が開発したFortran（フォートラン）は、主に大型コンピューターでの計算に使われたんだ。天気の予測には今も使われているよ。

COBOL
1959年に専門家の協議会で開発されたCOBOL（コボル）は、今でも多くの会社や銀行のシステムで使われているよ。

■■■ 現実のできごと

2000年問題

COBOLのような古い言語で書かれたプログラムの多くが、1999年なら99というようにその年を表すのに2ケタの数字を使っていたんだ。2000年になると00で表されるようになるので、トラブルが多く発生すると考えられ、大さわぎになったのが「2000年問題」だよ。

2000年問題で生まれるバグを取りのぞくため、世界中のコンピューターをチェックしなければならなかったんだ。

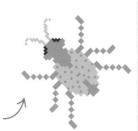

おかしな言語

プログラミング言語の中には、とてもかぎられた目的や、おかしな目的のために作られた言語がいくつかあるよ。

('&%:9]!~>|z2Vxwv-,POqponl\$Hjig%eB@@>a=<M:9[p6tsl1TS/QlOj)L(I&%\$""Z~AA@UZ=RvttT`R5P3m0LEDh,T*?{b&`\$#87[}{W

▲**Malbolge**

あえてプログラムできないように作られた言語だ。そのため発表されてから2年後に初めてこのMalbolgeで書かれたプログラムが登場したんだ。しかも人間ではなく、他のプログラミング言語がかいたものだったんだよ。

▲ **Piet**

わけのわからない抽象画のようなソースコードになるんだ。「Hello World!」を出力させるためのプログラムはこの絵のようになるよ。

▲**Chef**

ソースコードが料理のレシピにたものになるよう作られているよ。でもプログラムが料理の役に立つことはめったにないぞ。

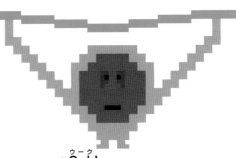

▲**Ook!**

オランウータンが使えるように作られたプログラミング言語だ。「Ook」「Ook!」「Ook?」の3種類のことばしかないよ。この3つを使って「Ook! Ook」や「Ook? Ook」など6つの命令を作るんだ。

伝説のプログラマー

世界中のたくさんのプログラマーのおかげで、コンピューターの世界は毎日、進化し続けているよ。でもときには、特別なプログラマーがあらわれて、進化のスピードがいっきに速まることがあるんだ。伝説になっているプログラマーを何人か紹介するよ。

このページも見てみよう

〈 18–19　プログラマーになろう

コンピューター 204–205 〉
ゲーム

エイダ・ラブレス

出身国：イギリス

生没年：1815 〜 52年

世界初のプログラマーだと言われているよ。チャールズ・バベッジの解析機関（最初期のコンピューターになるはずだった）のために、1843年に世界で初めてプログラムを書いたんだ。文字や数字を表すための方法を考えた人だよ。

アラン・チューリング

出身国：イギリス

生没年：1912 〜 54年

数学者で、コンピューター科学の父としても知られているよ。第二次世界大戦中には、イギリスのためにドイツの暗号を解読して、画期的な業績を残していることでも有名だよ。

グレース・ホッパー

出身国：アメリカ

生没年：1906 〜 92年

コンパイラを使うプログラミング言語を初めて作ったんだ。コンパイラは人間が読めるソースコードを機械語に変換するプログラムだよ。コンピューター科学の分野で活躍しただけでなく、アメリカ海軍で准将になったんだ。

ビル・ゲイツとポール・アレン

出身国：アメリカ

生没年：ゲイツ1955年〜、アレン1953 〜 2018年

1970年代に二人でマイクロソフト社をつくったんだ。そしてWindowsやOfficeのような世界中の人たちに使われるソフトウェアを開発したよ。

横井軍平と宮本茂

出身国：日本

生没年：横井1941 ～ 97年、宮本1952年～

任天堂というゲーム会社で働いていたよ。横井さんはゲームボーイを開発し、宮本さんはスーパーマリオブラザーズのような大成功したゲームを開発したよ。

ティム・バーナーズ=リー

出身国：イギリス

生没年：1955年～

CERN（スイスの有名な研究機関）で働いていたときに、World Wide Web（ワールド ワイド ウェブ）を考えつき、無料で公開したんだ。2004年には女王エリザベス2世からナイト・コマンダーという位をもらったよ。

ラリー・ペイジとセルゲイ・ブリン

出身国：アメリカ

生没年：二人とも1973年～

1996年に二人でGoogleの検索エンジンのもととなるソフトウェアの開発を始めたよ。この検索エンジンはとても性能がよく、インターネットの世界を大きく変えたんだ。

マーク・ザッカーバーグ

出身国：アメリカ

生没年：1984年～

大学生だった2004年にFacebook（フェイスブック）を始めたんだ。Facebookはとても大きな会社になって、ザッカーバーグは大金持ちの仲間入りをしたよ。

オープンソースムーブメント

出身国：世界中

生没年：1970年代後半～

ソフトウェアは無料でだれでも使えるようにするべきだと考える、世界中のプログラマーの活動のことだよ。この活動はソフトウェアの世界で多くの業績を残したよ。GNU/LinuxというOSや、オンラインの百科事典Wikipediaもこの活動に支えられているよ。

大活躍のプログラム

コンピューターとプログラムは、毎日の生活をかげで支えているよ。とてもむずかしい問題に取り組むためのプログラムが作られ、みんなは毎日、そのお世話になっているんだよ。

このページも見てみよう

❮ 180-181 コンピューターのしくみ

❮ 192-193 ファイルにデータを保管する

ファイルを圧縮する

インターネットでやりとりされているほとんどの種類のファイルは、何かの形で圧縮されているんだ。ファイルを圧縮すると、必要ないことがわかったデータは取り去られ、本当に必要な情報だけが残るんだ。

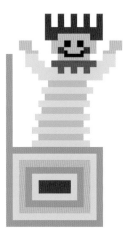  

◀ **データを押しこむ**
ファイルを圧縮するのはびっくり箱をとじるのににているよ。小さいスペースに押しこむんだ。

▪▪ ▪ 現実のできごと

音楽ファイル

音楽ファイルを圧縮するプログラムがないと、プレイヤーにはほんのわずかな曲しか入らないんだ。音楽ファイルを圧縮することで、スマートフォンに何千曲もの音楽が入るんだよ。

暗号

インターネットを使って、ウェブサイトにログインするときや買い物をするとき、メールを送るときに、プログラムがデータを暗号化して他の人が読めないようにしているんだ。世界的な銀行のシステムは、こうしたプログラムによって守られているんだよ。

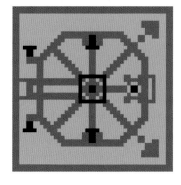

◀ **暗号学**
暗号学は暗号についてまなぶ学問だよ。むずかしい数学を使って、データを他の人が見てもわからなくしたり解読したりするんだ。データをドロボウから守っているんだよ。

人工知能

よくできたプログラムはコンピューターゲームを楽しくするだけではなくて、もっと大きな仕事をするよ。人工知能(AI：エーアイともいうよ)は戦場や災害があった場所など、人間にはあぶないところで活動するロボットに組みこまれたり、健康管理にも使われているよ。

▲病気をなおす

たくさんの病気の人のデータを分析して、それを他の人のデータと比較することで、病気を見つけるのに役立てているよ。

▲ばくだんの処理

人間のかわりにかしこいロボットを使えば、人間の命をきけんにさらさないですむね。

スーパーコンピューター

NASA のような高い技術をもつ機関では、スーパーコンピューターが使われているよ。スーパーコンピューターは数千台のプロセッサの力を使って、データを共有し、通信を高速におこなっているんだ。1秒間に数百万もの計算ができるんだよ。

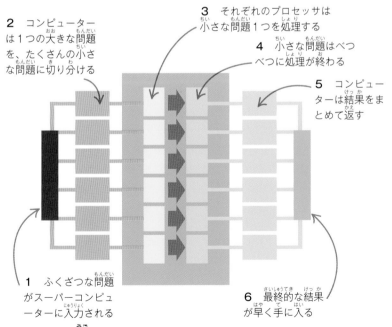

2　コンピューターは1つの大きな問題を、たくさんの小さな問題に切り分ける

3　それぞれのプロセッサは小さな問題1つを処理する

4　小さな問題はべつべつに処理が終わる

5　コンピューターは結果をまとめて返す

1　ふくざつな問題がスーパーコンピューターに入力される

6　最終的な結果が早く手に入る

▲どのように動くのか

処理する問題を小さな問題に切り分け、べつべつのプロセッサで同時に計算するんだ。それぞれのプロセッサの結果が集められ、答えとして出力されるよ。

現実のできごと

天気予報

天気がこれからどうなるかはとても予想しにくいね。スーパーコンピューターは天気を予想するのに必要な大量のデータを使うんだ。たくさんのプロセッサが、せまい地域の天気を計算するよ。その計算結果を全部集めれば、広い地域の天気が予想できるね。

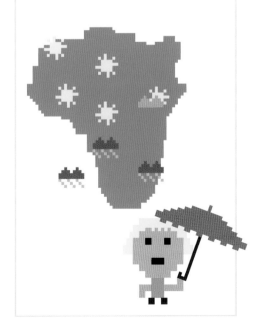

コンピューターゲーム

ゲームを作るのにどれだけの手間がかかるのだろう？　大がかりなゲームは、ソフトウェア開発者がチームを組んでつくることが多いよ。プログラマーだけでつくるわけではないんだ。

このページも見てみよう

《 200–201　　伝説の
　　　　　　　プログラマー

アプリを　　　　206–207 》
作る

だれがゲームをつくっているのかな？

スマートフォンのかんたんなゲームでも、たくさんの人がチームになってつくっていることがあるよ。ゲームをヒットさせるには全体に気を配り、細かいニーズをくみ取らなければならないよ。多くの人がいろいろなスキルを持ちよってゲームができるんだ。

▲ **グラフィックデザイナー**
ゲームの中のキャラクターはきれいな方がいいよね。グラフィックデザイナーはゲーム内の建物、人などすべての形や見た目を決めるんだ。

▲ **プログラマー**
プログラマーはプログラミング言語を使って、ゲームを動かすためのソースコードを書くよ。

◀ **レベルデザイナー**
ゲームをおもしろくするために、ゲーム内の設定をしたり、むずかしさを調整するんだ。

▶ **テスター**
1日中ゲームをやっているなんて楽しそうな仕事だけど、バグをさがすために何度も何度もゲームをするのはなかなか大変だね。

▲ **スクリプトライター**
今のゲームはストーリーがとてもおもしろいね。スクリプトライターはゲームに登場するキャラクターを設定したり、ストーリーを組み立てるんだ。

◀ **サウンドデザイナー**
よくできたゲームにはよい音楽が必要だ。ムードをもり上げるための効果音も必要だね。

ことば

専用ゲーム機

専用ゲーム機はゲームをするためのコンピューターだ。PS4やXbox Oneのようなゲーム機は、グラフィックと音を処理するための高い性能のプロセッサを持っていることが多いよ。一度に多くの処理ができるので、ゲームをよりリアルなものにできるんだ。

ゲームの素材

いろいろなゲームで使う素材は「ゲームエンジン」にまとめられていることが多いよ。ゲームエンジンが使いやすい素材を用意してくれるから、新しいゲームを早く開発できるんだ。

▶ ストーリーと設定

どのゲームにもよいストーリーと何かの目的やゴールが必要だね。うまく作られたゲームはプレイヤーをあきさせない設定になっているよ。

◀ 物理計算

ゲームの中の世界をリアルに感じさせるためには、重力やぶつかったときの変化のような現実世界のルールを再現しなければならないよ。

▶ 操作性

操作性がよいことは、ゲームの人気を左右するよ。操作しやすければ、プレイヤーはコントローラーを使っていることをわすれてゲームを楽しめるぞ。

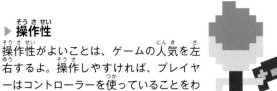

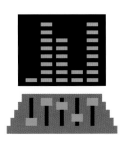

▲ グラフィックス

ゲームがリアルになるほど、グラフィックスもふくざつになっていくよ。体の動きや水の動きを正しく表すのは特にむずかしいね。

▶ 音

バックグラウンドミュージック（BGM）、効果音、キャラクターの会話はすべて録音して用意しておかなければならないよ。音の使い方でゲームのふんいきがすっかり変わってしまうよ。

進入口を開けろ、HAL（ハル）

申しわけないが、できません。

▲ 人工知能(AI)

AIプログラミングを使えば、コンピューターが動かすキャラクターの反応がよりリアルになるぞ。

■ ■ ■ **現実のできごと**

遊びではないゲーム

ゲームは楽しむためだけに使われているわけではないよ。パイロット、外科医、軍人のような専門的な仕事をしている人たちは、ゲームを訓練に利用しているんだ。計画を立てるスキルを上げるためのゲームを社員にさせている会社もあるよ。

アプリを作る

スマートフォンはプログラマーの活躍の場を広げたよ。スマートフォンが広まるということは、コンピューターがみんなのポケットに入ったようなものなんだ。位置情報やモーションセンサーなど新しい技術が使えるようになり、ユーザーが使いやすいアプリがたくさん登場してるよ。

このページも見てみよう

❮ 190–191　基本の
　　　　　　　プログラム

❮ 198–199　プログラミング
　　　　　　　言語

❮ 204–205　コンピューター
　　　　　　　ゲーム

アプリとは？

「アプリ」（アプリケーションを短くしたことば）はモバイル機器（スマートフォン、タブレット、うで時計型コンピューターなど）で動くプログラムのことだよ。いろいろなジャンルのアプリがあるんだ。

◀ ソーシャルネットワーク
友達がどこにいてもつながることができるよ。コメント、イラスト、音楽、動画をやりとりできるよ。

◀ ゲーム
シンプルなパズルやアクションゲームまでモバイル機器であらゆる種類のゲームをプレイできるよ。

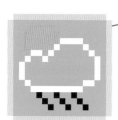

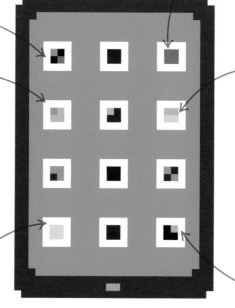

▲ 旅行
旅行用のアプリは位置情報と他のユーザーのレビューをもとに、近くのレストラン、ホテル、イベントを教えてくれるよ。

▲ 天気予報
位置情報を利用して正確な天気を知らせてくれるぞ。世界中の天気だって調べられるんだ。

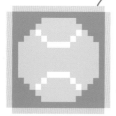

◀ スポーツ
ランニングやサイクリングをするときに健康管理をしてくれるアプリもあるよ。スポーツの試合結果もすぐにわかるぞ。

▲ 教育
勉強に役立つアプリもあるよ。算数や国語はもちろん、外国語を学べるものもあるぞ。

アプリはどのように作るのかな？

アプリを作り始める前に調べておくことがいっぱいあるよ。何をするためのアプリか、はっきりさせておこう。どんな機器で動かすのかな？ ユーザーとアプリはどのように情報をやりとりするのかな？ このような点をきちんと決めたら少しずつアプリを作っていくよ。

Mac

Android

Windows

1 アイデアを出す

新しいアプリのためのアイデアは、モバイル機器に合ったものでないといけないよ。頭にうかんだのはまったく新しいアイデアかもしれないし、すでにあるアイデアを改良することかもしれないね。

2 どのオペレーティングシステムを使うか

アプリはどのタイプのモバイル機器で動かすつもりかな？ プログラマーがよく使う方法は、自分の得意なオペレーティングシステム（OS）でアプリケーションを開発してから、ツールを使って別のOSでも動くようにすることなんだ。

3 アプリの作り方を習う

プログラマーはプログラミング言語を覚えるだけでなく、アプリをよいものにするためのスキルをみがかなければならないよ。インターネットのサイトを参考にしたり、近くに詳しい人がいれば助かるね。

4 プログラムを作る

よいアプリを作るのは時間がかかるぞ。てきとうに動くだけなら数週間でできるかもしれない。でも、アプリ開発を成功させようと思ったら2〜3カ月は必要だよ。

5 テストする

アプリにバグがあれば、ユーザーはあっというまにアプリを使わなくなってしまうよ。テストはかならずやろう。友達や家族にアプリを使ってもらうのもいいね。

インターネット用のプログラミング

ウェブサイトはパイソンのようなプログラミング言語で書かれているんだ。最もよく使われている言語の１つがJavaScriptだね。ユーザーと情報のやりとりができるウェブサイトを作れるんだ。

このページも見てみよう

‹ 198-199 プログラミング言語

JavaScriptを使う 210-211 ›

ウェブページはどうなっているの？

ウェブページはいくつかの言語を使って作られているものが多いんだ。例えば電子メールのサイトではCSS、HTML、JavaScriptが使われているよ。JavaScriptを使うと、マウスのクリックにすぐに反応してくれるサイトを作れるよ。

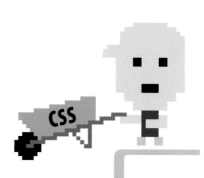

◀ CSS

CSS（カスケーディング・スタイル・シート）はページの色、フォント、レイアウトを指示するんだ。

受信	コンタクト	カレンダー

フォルダ		
受信	☐ サム	ネコのビデオだよ
下書き	☐ リジー	ベンへのプレゼント
送信済み	☐ フィオナ	ランチどうする?
迷惑メール	☐ シャイラ	いらない
ゴミ箱	☐ ポーラ	パーティーのお誘い
	☐ ダン	Re:ダンスの件
	☐ ベン	Re:イラスト
	☐ サラ	ホッケーの試合
	☐ ヴィッキー	Re:ニューヨーク
	☐ エラ	ブックレビュー
	☐ フィル	ベンのプレゼント

削除　振り分け

◀ HTML

HTML（ハイパーテキスト・マークアップ・ランゲージ）はテキストや画像など、ページの基本的なつくりを決めるよ。

▶ JavaScript

JavaScript（ジャヴァスクリプト）はユーザーがページを見たとき、どのようにページを変化させるかを決めているよ。

HTML

ウェブサイトを開くと、インターネットブラウザが HTML ファイルをダウンロードして、そこに書かれた指示どおりにウェブページを組み立てるんだ。右のソースコードをコード・ウィンドウ（92 から 93 ページ）に入力して、終わりに「.html」という拡張子がつくファイル名でセーブしよう。そのファイルをダブルクリックすると、ブラウザが起動して「Hello World!」と表示されるよ。

```html
<html>
  <head>
    <title>The Hello World Window</title>
  </head>
  <body>
    <h1>Hello World in HTML</h1>
    <p>Hello World!</p>
  </body>
</html>
```

表示するテキストを「タグ」で囲むのがHTMLの特徴だ。

「<p>」と「</p>」はふつうの文章を囲むタグだよ

このタグはHTMLがここで終わるというしるしだ

JavaScript を試してみる

JavaScript のソースコードは、ふつうは HTML のソースコードに組みこまれるんだ。だから次のサンプルでは、HTML と JavaScript を一度に両方使っているね。JavaScript が書かれた部分は「<script>」のタグで囲むんだよ。

1 JavaScriptを書いてみよう

IDLEのコード・ウィンドウを開いて次のソースコードを入力しよう。まちがえないよう注意してね。もしエラーがあると、空白のページが出てきてしまうよ。

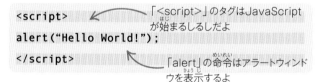

```html
<script>
alert("Hello World!");
</script>
```

「<script>」のタグはJavaScriptが始まるしるしだよ

「alert」の命令はアラートウィンドウを表示するよ

うまくなるヒント

JavaScriptのゲーム

JavaScriptはユーザーの操作に応じて動くのが得意なんだ。だからシンプルなパズルから動きの速いレーシングゲームまで、いろいろなゲームを作れるよ。ブラウザ上で動作するから、ゲームをする前に何かをインストールする必要はないよ。JavaScriptはメールソフトやカレンダーのようなウェブアプリケーションにも使われているよ。

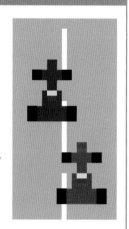

2 ファイルをセーブする

ファイルをセーブしよう。ファイル名を「test.html」にすれば、HTMLのファイルとしてセーブされるよ。それからファイルをダブルクリックしよう。

test.html

「.html」という拡張子を最後につけるのをわすれないでね

3 ポップアップボックス

ブラウザはポップアップボックスを開いて、「Hello World!」という文字を表示するよ。「OK」ボタンをクリックしてボックスを消そう。

JavaScript
Hello World!
OK

JavaScriptはこのボタンのようにユーザーとやりとりをする機能を持っているよ

JavaScriptを使う

JavaScriptはHTMLの中で動く小さなプログラムを書くのにとても便利なんだ。ユーザーの操作に合わせてページを変化させられるよ。JavaScriptはパイソンと同じような機能を持っているけれど、ソースコードの書き方がかんたんすぎて注意が必要なんだ。

このページも見てみよう

‹ 162–163　イベントに反応する

‹ 122–123　パイソンでのくり返し

‹ 208–209　インターネット用のプログラミング

ユーザーに入力してもらう

パイソンと同じようにユーザーに情報を入力してもらえるよ。JavaScriptではポップアップボックスを表示するんだ。次のソースコードはユーザーに名前を入力してもらって、あいさつを返すプログラムだ。

この行でポップアップボックスを作って、ユーザーが入力したテキストを保管するよ

ダブルクォーテーションで囲まれた文章がボックスに表示されるぞ

1 プロンプト画面を使う

IDLEのコード・ウィンドウにソースコードを入力して、「.html」の拡張子がついたファイル名でセーブしてね。

```
<script>
var name = prompt("名前を入れてね ");
var greeting = "こんにちは" + name + "!";
document.write(greeting);
</script>
```

JavaScriptの行は必ずセミコロンで終わるよ

「</script>」のタグはJavaScriptの終わりのしるしだよ

この行はあいさつを表示するんだ

2 質問を表示する

HTMLファイルをダブルクリックすると、ブラウザが起動してウィンドウが表れるね。ボックスに名前を入力して「OK」をクリックしよう。あいさつが表示されるぞ。

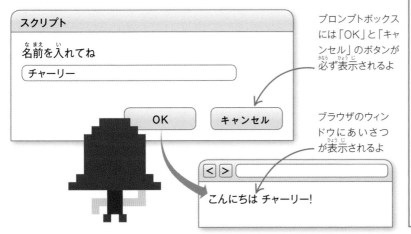

プロンプトボックスには「OK」と「キャンセル」のボタンが必ず表示されるよ

ブラウザのウィンドウにあいさつが表示されるよ

■ ■ ■　うまくなるヒント

注意して入力しよう

JavaScriptでソースコードを書くときは正しく入力するよう注意しよう。もしまちがいがあっても、JavaScriptはその部分をまるごととばして空白のウィンドウを表示するだけなんだ。何がおかしかったかというエラーメッセージは表示しないよ。もし空白のウィンドウが表示されたら、ソースコードをしんちょうに調べよう。

イベント

マウスがクリックされたり、キーボードのキーが押されるといった出来事をイベントとよぶよ。イベントへの反応を決めている部分を「イベントハンドラ」というんだ。イベントハンドラは JavaScript の多くで使われていて、イベントに合わせてさまざまな機能を実行しているよ。

1 ソースコードを入力する

「ボタンをクリックする」というイベントによってかんたんな関数（tonguetwist）が実行されるよ。IDLEのコード・ウィンドウに次のソースコードを入力し、「.html」の拡張子がついた名前でセーブしよう。

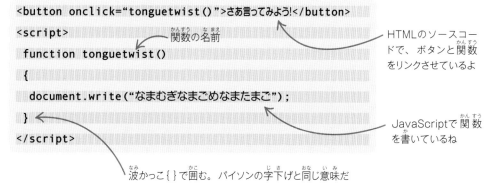

```
<button onclick="tonguetwist()">さあ言ってみよう!</button>

<script>

 function tonguetwist()

 {

  document.write("なまむぎなまごめなまたまご");

 }

</script>
```

関数の名前

HTMLのソースコードで、ボタンと関数をリンクさせているよ

JavaScriptで関数を書いているね

波かっこ { } で囲む。パイソンの字下げと同じ意味だ

2 プログラムを動かす

ファイルをダブルクリックして、ブラウザのウィンドウでプログラムを動かしてみよう。

ボタンをクリックしよう

早口ことばが表示されるぞ

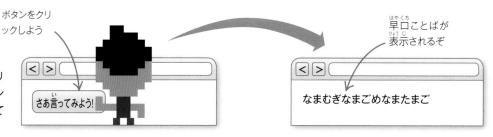

さあ言ってみよう!

なまむぎなまごめなまたまご

JavaScript でのループ

ループはソースコードのうち、くり返し実行される部分で使われるよ。ループを使うことで、プログラミングで同じソースコードを何度も入力する手間がはぶけ、まちがいもへらせるんだ。

1 ループのソースコード

パイソンといっしょでJavaScriptもループを書くのに「for」を使うよ。ソースコードのうち、くり返す部分を波かっこで囲むんだ。次のループはくり返すたびに1ずつふえていくものだよ。

```
<script>

for (var x=0; x<6; x++)

{

 document.write("ループ回数: "+x+"<br>");

}

</script>
```

この行で「x」というカウンターを作っているね。最初は0で、処理がくり返されるごとに1ずつふえるよ

この行はコンピューターに「ループ回数：」というテキストに続けて、カウンターの値を出力するよう指示しているよ

2 ループの出力

拡張子に「.html」がつくファイル名で保存してから実行してみよう。「x」が6より小さい間は、ループがくり返し行われるよ。ループの回数をふやしたければ、「<」の後の数をふやそう。

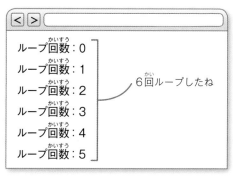

ループ回数：0
ループ回数：1
ループ回数：2
ループ回数：3
ループ回数：4
ループ回数：5

6回ループしたね

悪いプログラム

プログラムの中にはデータをぬすんだり、コンピューターをこわしてしまうものもあるんだ。そうしたプログラムは何も悪さをしないように見えることが多いから、ひどい目にあってからようやく気づくこともあるよ。

このページも見てみよう

< 194–195　インターネット

< 202–203　大活躍のプログラム

マルウェア

君の知らないところで動き回ったり、君の許可を得ずに勝手に活動するプログラムを「マルウェア」というんだ。いろいろな種類の悪いプログラムが、君のコンピューターにこっそり入りこもうとしているんだ。

▶ワーム

ワームはネットワーク内をコンピューターからコンピューターへと動き回るタイプだよ。ネットワークをつまらせ、通信をおくらせ、ついにはダウンさせてしまうんだ。

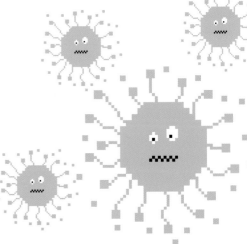

▲ウィルス

人間の体に入りこむウィルスと同じように、自分のコピーをつぎつぎと作ってふえていくよ。電子メールやUSBメモリ、コンピューター同士でのファイルのやりとりで広がることが多いね。

▲トロイの木馬

何も悪さをしないように見せかけてコンピューターに入りこむマルウェアを「トロイの木馬」とよぶよ。この名前は古代のギリシア人とトロイア人との戦いの中の出来事からとられたものだ。

■■■ 現実のできごと

有名なワーム

2000年5月5日にフィリピンで「ILOVEYOU」というタイトルの電子メールを出回ったんだ。このメールにはラブレターに見せかけたファイルがついていて、コンピューターの中のファイルをこわしていったんだよ。

◀ILOVEYOU

このワームは世界中のコンピューターにあっという間に広がったんだ。こわされたファイルなどを直すのに、たくさんのお金がかかったんだ。

マルウェアは何をするの？

ウィルス、ワーム、トロイの木馬はコンピューターに入りこもうとするマルウェアだ。でもコンピューターに入って何をするのだろう？　こうしたマルウェアはファイルをこわしたり消し去ってしまうほかに、パスワードをぬすもうとすることもあるよ。大きな「ボットネット」を作るためにコンピューターをのっとるんだ。

▶ボットネット

ボットネットはマルウェアなどにのっとられた「ゾンビコンピューター」が集まったものだ。スパムメールを送ったり、ターゲットにしたウェブサイトにアクセスを集中させてダウンさせようとするんだ。

セキュリティソフト

マルウェアにコンピューターをこわされないようにするためにセキュリティソフト（アンチマルウェアソフト）というものがあるよ。多くの会社がいろいろなタイプのソフトを作っているよ。よく知られているソフトの種類には「アンチウィルスソフト」と「ファイアウォール」があるよ。

▲アンチウィルスソフト

アンチウィルスソフトはマルウェアを発見するんだ。ファイルをスキャンして、うたがわしいプログラムのデータベースとくらべることで、悪いプログラムを見つけるんだよ。

▲ファイアウォール

マルウェアやあぶない通信を防いで、コンピューターに入ってこないようにするのがファイアウォールだよ。インターネットから入ってくるデータをすべて見張っているんだ。

■ ことば

ハッカー

コンピューターやプログラミングにとてもくわしくて、その知識を生かしている人を「ハッカー」というよ。マルウェアを作って犯罪をおかしている悪い人を「ブラックハット」ハッカー、マルウェアの被害を防ぐためのプログラムを作っているよい人を「ホワイトハット」ハッカーとよぶんだ。

ホワイトハットハッカー　　ブラックハットハッカー

小さなコンピューター

大型のコンピューターや値段が高いコンピューターばかりではなく小さくて安いコンピューターもふえていて、いろいろな場面で使えるようになっているんだ。そうしたコンピューターは小さくて安いという利点を生かして、新しい使い方をされているぞ。

このページも見てみよう

◀ 180-181 コンピューターのしくみ

◀ 202-203 大活躍のプログラム

Raspberry Pi

クレジットカードと同じサイズのコンピューターで、コンピューターがどのように動くか、基本的なしくみを教えるためのものなんだ。小さいけど性能がよくて、パソコンと同じようなプログラムを動かせるよ。

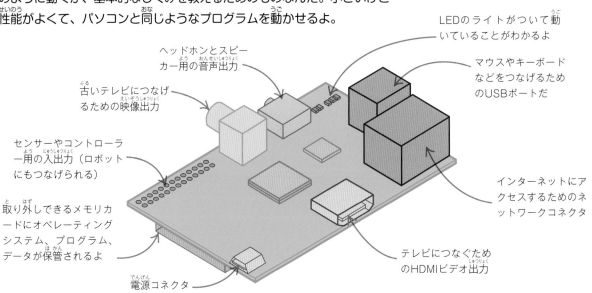

ヘッドホンとスピーカー用の音声出力

LEDのライトがついて動いていることがわかるよ

マウスやキーボードなどをつなげるためのUSBポートだ

古いテレビにつなげるための映像出力

センサーやコントローラー用の入出力（ロボットにもつなげられる）

取り外しできるメモリカードにオペレーティングシステム、プログラム、データが保管されるよ

インターネットにアクセスするためのネットワークコネクタ

テレビにつなぐためのHDMIビデオ出力

電源コネクタ

Arduino

ラズベリーパイよりも安いけど、性能も低いんだ。安いので電気器具やロボットに組みこみやすいという理由で使われることが多いよ。

入出力用のピンが多く、いろいろな機器につなぎやすいんだ

チップ1つで機能するマイクロコントローラ

リセットボタン

他の電気器具につなげるためのソケット

パソコンからプログラムを送るためのUSBポート

電源コネクタ

どこで使われているか

小さなコンピューターはいろいろな機器につなげられるから、活躍の場はいくらでもあるんだよ。いくつか例をあげてみるね。

▲コンピューター

キーボード、マウス、モニターをつなぐと、デスクトップパソコンになるよ。

▲音声出力

スピーカーをつないで、ネットワークから手に入れた音楽を流すことができるよ。

▲モバイルフォン

モバイルフォンをつないで、コンピューターをインターネットにつなぐことができるよ。

▲電子部品

LEDライトやかんたんな電子部品をつなげば、ロボットや電子機器を作れるよ。

▲テレビ

テレビにつなげば、動画やイラストなどを表示できるよ。

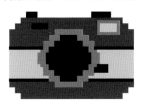

▲カメラ

かんたんなつくりのカメラをつなげば、ウェブカムのできあがりだ。

▲USB

USB接続のハードディスクをつないで、ファイルをネットワーク上で共有しよう。

▲SDカード

SDカードを入れかえるだけでプログラムを交換できるよ。

ことば

自作ロボット

小さくて安くて軽いので、これらのコンピューターはあらゆる形のロボットに組みこまれているんだ。いくつか例をあげてみるよ。

気象観測気球：大気の状態を記録するんだ。

小型の乗り物：コウモリのように超音波を使って障害物を見つけるよ。

ロボットアーム：いろいろな形の物をつかんで動かすよ。

ロボットのクモはArduinoでコントロールされているんだ

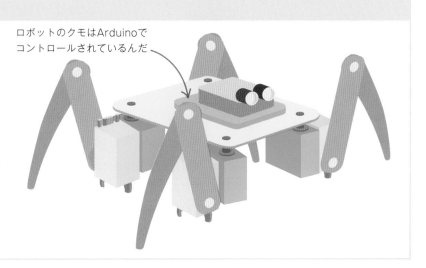

プログラミングのプロになる

プログラミングのプロになるひけつは楽しむことだよ。楽しんでいるかぎり、いくらでもスキルはのびていくぞ。遊びであっても、ずっと続ける仕事であっても、この点は同じだよ。

このページも見てみよう

‹ 176–177　この次は？

‹ 214–215　小さなコンピューター

スキルを上げる方法

スキー、ピアノ、テニスを習うのと同じように、プログラミングのスキルも時間をかけてのばしていくものなんだ。本当のプロになるには何年もかかるけど、もし君が楽しんで取り組めるなら、スキルを上げていくのは楽しい旅のようなものだ。君がプログラミングのプロになるためのヒントを書いておこう。

▲とにかくプログラミング

ソースコードは書けば書くほどスキルが上がるぞ。ずっとプログラミングを続けていけば、めきめき力がつくよ。

◀好奇心

プログラミングについて書かれたウェブサイトや本を読んで、他の人が書いたソースコードを学んでみよう。うまい人のヒントを読んだり、その技を身につけよう。

▲アイデアをぬすもう

すごいプログラムに出会ったら、自分ならどうソースコードを書くか考えてみよう。プロのプログラマーはおたがいのアイデアをまねし合い、改良し合っているんだよ。

▶友達に教えよう

他の人にプログラミングを教えれば、自分のためにもなるよ。人に説明するのは、自分が理解しているかどうかをチェックするいい方法なんだ。

▶脳をきたえる

脳は筋肉みたいにきたえれば強くなるんだ。頭を使って考えることをいろいろやってみよう。パズルやクイズをといたり、数独をやってみよう。算数や数学も大事だぞ。

▶ プログラムをテストする

たくさんの数やデータを入力するとどうなるか、テストしてみよう。うまく処理ができるかな? テストの結果を見てプログラムを改良しよう。

Scala　**Pascal**　SQL
Ruby on rails　C++

◀ ロボットを作ろう

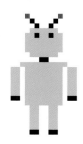

プログラムでコントロールする機器にコンピューターをつないでみよう。LEDのライトからロボットまで、いろいろな機器があるよ。何かをプログラムを使って動かすのは楽しいし、多くのことが学べるんだ。

▲ 新しい言語を身につける

いくつかのプログラミング言語を使えるようになろう。新しい言語を学ぶと、それまで知っていたことよりも多くのことが身につくんだ。無料でダウンロードできる言語がたくさんあるよ。

▶ コンピューターを分解しよう

いらなくなったコンピューターを分解して、中身がどのようになっているのか調べてみよう。それよりもためになるのは、自分で部品を集めてコンピューターを組み立て、そのコンピューターで君のプログラムを動かしてみることだ。

▶ コンテストに参加する

プログラミングがうまくなったらコンテストに参加してみよう。いろいろなレベルのコンテストがあるから自分に合ったものを選ぼう。世界的なむずかしいコンテストもあれば、もっとチャレンジしやすいコンテストもあるよ。

 おぼえておこう

とにかく プログラミングを楽しもう!

プログラミングはパズルとにているんだ。とけなくて先に進めないことがあるし、そんなときはイライラするかもしれない。でも何かのきっかけから、ぱっと問題がとけることもあるよ。そうやって自分が書いたプログラムが動くのを見ると、とてもこうふんするぞ。プログラミングを続けるこつは、好きなことにチャレンジし続けることだ。プログラミングでは、時間をむだにすること、ソースコードをいろいろ変えてみること、実験すること、ルールからはなれてみることをこわがってはいけないよ。君の好奇心が向く方向に進んでみよう。でも何より大切なのはプログラミングを楽しむことだよ!

用語集

ASCII（アスキー）コード

American Standard Code for Information Interchange（ASCII）のこと。文字を二進法の数で記録するためのコード。

GPU

グラフィックスプロセッシングユニット（GPU）は画像の表示を行う部品。

GUI

グラフィカルユーザーインターフェース（GUI）はボタンやウィンドウなど、プログラムによって画面表示され、ユーザーと情報のやりとりをするためのもの。

OS

コンピューターのオペレーティングシステム（OS）は他のプログラムが動くための土台になる。プログラムとハードウェアをつなぐ役割もする。

random

プログラムの中で乱数を作る命令。ゲームを作るときに便利。

syntax

プログラムが正しく動くために、どのようにソースコードを書かなければいけないかというルール。

IP アドレス

インターネットにつないだとき、機器がそれぞれ持つ一連の番号。

圧縮

ストレージで保管するのに必要なスペースを小さくするため、データの量を小さくすること。

アルゴリズム

コンピューターのプログラムのように、仕事をするための手順を1つ1つ並べたもの。

暗号化

特定の人しか読んだりアクセスできないよう、データを暗号にすること。

イベント

キーが押されたり、マウスがクリックされるなどのプログラムが反応するできごと。

インデックス値

リストのアイテムにふられる番号。パイソンでは最初のアイテムは 0 番、次のアイテムが 1 番というようにふられる。

ウィルス

マルウェアの種類の1つ。コンピューターからコンピューターへと自分をコピーして広がっていく。

演算子

特定の働きをする記号。「＋」（足す）、「－」（引く）などがある。

関数

大きな作業の一部を行うための短いソースコード。

機械語

コンピューターが読める、最もかんたんな言語。プログラミング言語で書いたソースコードは、プロセッサが読む前に機械語に変換しなければならない。

グラフィックス

絵、アイコン、記号など、画面に表示されるもののうちテキストではないもの。

コンテナ

データアイテムをたくさん保管しておける入れ物。プログラムの中で使われる。

コンピューターネットワーク

2台以上のコンピューターをつなげる方法。

サーバー

ファイルを保管し、ネットワークを通してアクセスできるようにしているコンピューター。

実行する

プログラムを動かすこと。

十六進法

16 を一まとまりとする数え方。10 から 15 はアルファベットの A から F で表す。

出力

コンピューターのプログラムが処理した結果のデータ。ユーザーに知らされる。

小数

小数点を持つ数。

シングルステップ実行

プログラムを1行ずつ実行させる方法。行ごとに正しく動くかチェックする。

スプライト

スクラッチで使うキャラクター。

整数

小数点を持たず、分数を使わなくても書ける数。

ソケット

IP アドレスとポートの組み合わせ。ソケットを使えば、インターネットを通して、プログラム同士が直接データをやりとりできる。

ソフトウェア

コンピューターで実行され、コンピューターがどのように動くかを決めるプログラム。

タプル

アイテムの集まり。全体をかっこで囲み、アイテムはカンマで区切っている。

ディレクトリ

ファイルを整理して保管する場所。

データ

テキスト、記号、数などの情報。

デバッガー
他のプログラムのソースコードからまちがいをさがすプログラム。

デバッグ
プログラムのまちがいをさがして直すこと。

トロイの木馬
マルウェアの種類の1つで、安全なソフトウェアのように見せかけてコンピューターに入りこみ悪さをするもの。

二進コード
数やデータを0と1だけで表す方法。

入力
コンピューターに入ってくるデータ。例えばマイクロフォン、キーボード、マウスなどから入ってくる。

ハードウェア
コンピューターのうち、目で見えてさわれる部分。ケーブル、キーボード、ディスプレイなどのこと。

バイト
デジタル情報の単位で、ビットが8つ集まったもの。

バグ
ソースコードを書くときのまちがい。プログラムが思ったとおりに動かなくなる。

ハッカー
コンピューターシステムに侵入する人たち。ホワイトハットハッカーはコンピューターセキュリティ会社のために働き、問題をさがして解決する。ブラックハットハッカーは悪いことをしたり、もうけるために侵入する。

ビット
二進法の1ケタで、0か1の値をとる。デジタル情報の一番小さい単位。

ファイル
名前をつけて保管されたデータの集まり。

プログラミング言語
コンピューターに命令を与えるために使うことば。

プログラム
コンピューターに与える命令のセット。何かの作業を行うために使う。

プロセッサ
電子チップの一つで、コンピューターの内部にあってプログラムを動かす。

分岐
プログラムの流れが2つにわかれていて、どちらかを選ぶことになる点。

変数
情報を保管するためのスペース。名前がつけられていて、中の値を変えることができる。

ポート
特定のプログラムのための「アドレス」としてコンピューターが使う番号。

マルウェア
悪さをしたりコンピューターを止めるように作られたソフトウェア。

命令文
プログラミング言語で、命令として実行できる一番小さい単位。

メモリ
コンピューターの中に組み込まれた、データを保管するためのコンピューターチップ。

モジュール
プログラム全体のうち、特定の働きをするためのソースコード。

文字列
文字を並べたもの。数字や句読点などの記号も入れられる。

ユーザーインターフェース
ユーザーがソフトウェアやハードウェアと情報のやりとりをする手段。

ユニコード
数千もの文字や記号を表すため、世界で使われている文字コード。

よび出す
プログラムで関数を使うこと。

ライブラリー
他のプロジェクトでも使える関数を集めたもの。

ループ
プログラムの一部で、何度もくり返される部分。ループを使うことで、同じソースコードを何回も書かないですむようにする。

論理ゲート
コンピューターが判断を行うために使う。1つかそれ以上の信号を受けとり、ルールにしたがって1つの信号を出す。例えば「AND」ゲートは2つの信号がどちらも1のときだけ1を出力する。他に「OR」や「NOT」ゲートがある。

論理式
答えがTrue（正しい）かFalse（まちがい）のどちらかの形になる問い。

索引

＊各項目について書かれた主なページをあげています。

◇この本を翻訳した人

山崎 正浩（やまざき まさひろ）
1967年生まれ。慶應義塾大学卒。第一種情報処理技術者。
株式会社日立製作所に入社後、京王帝都電鉄株式会社（現京
王電鉄株式会社）に移り、情報システム部門でプログラマー
として勤務。高速バスの座席予約システムのプログラム作成
などに携わる。主な使用言語はC言語とRPG/400。2001
年に退職し、現在は翻訳業に従事。訳書に『10才からはじ
めるゲームプログラミング図鑑』『たのしくまなぶPython
プログラミング図鑑』『たのしくまなぶPythonゲームプロ
グラミング図鑑』『決定版 コンピュータサイエンス図鑑』（い
ずれも創元社）などがある。

本書の内容に対するご意見およびご質問は創元社大阪本社宛ま
で文書かFAXにてお送りください。お受けできる質問は本書で
紹介した内容に限らせていただきます。なお、電話での質問に
はお答えできませんのであらかじめご了承ください。

Scratch 3.0 対応版
10才からはじめるプログラミング図鑑
──たのしくまなぶスクラッチ&Python超入門

2020年5月1日　第1版第1刷発行

著　者　キャロル・ヴォーダマンほか
訳　者　山崎正浩
発行者　矢部敬一
発行所　株式会社 創元社　https://www.sogensha.co.jp/
　　　　〔本社〕〒541-0047 大阪市中央区淡路町 4-3-6
　　　　Tel.06-6231-9010 Fax.06-6233-3111
　　　　〔東京支店〕〒101-0051 千代田区神田神保町 1-2 田辺ビル
　　　　Tel.03-6811-0662

　　　　ISBN978-4-422-41441-6 C0055
　　　　Printed in China

落丁・乱丁のときはお取り替えいたします。

本書の感想をお寄せください

投稿フォームはこちらから ▶▶▶